MEDIUNIDADE DOS
SANTOS

CLOVIS TAVARES

MEDIUNIDADE DOS
SANTOS

ide

Copyright © 2014 *by*
FEDERAÇÃO ESPÍRITA BRASILEIRA – FEB

Direitos licenciados pelo Instituto de Difusão Espírita à Federação Espírita Brasileira
INSTITUTO DE DIFUSÃO ESPÍRITA – IDE
Avenida Otto Barreto, 1067 – Jardim Nova Olinda
CEP 13602-060 – Araras (SP) – Brasil

1ª edição – 1ª impressão – 10 mil exemplares – 10/2015

ISBN 978-85-69452-64-5

Todos os direitos reservados. Nenhuma parte desta publicação pode ser reproduzida, armazenada ou transmitida, total ou parcialmente, por quaisquer métodos ou processos, sem autorização do detentor do *copyright*.

FEDERAÇÃO ESPÍRITA BRASILEIRA – FEB
Av. L2 Norte – Q. 603 – Conjunto F (SGAN)
70830-106 – Brasília (DF) – Brasil
www.febeditora.com.br
editorial@febnet.org.br
+55 61 2101 6198

Pedidos de livros à FEB
Gerência comercial
Tel.: (61) 2101 6168/6177 – comercialfeb@febnet.org.br

Texto revisado conforme o Novo Acordo Ortográfico.

Dados Internacionais de Catalogação na Publicação (CIP)
(Federação Espírita Brasileira – Biblioteca de Obras Raras)

T231m   Tavares, Clovis, 1915–1984

         Mediunidade dos santos /Clovis Tavares. – 1.ed. – 1.imp. – Brasília: FEB; Araras: IDE, 2015.
         223 p.; 23 cm

         ISBN 978-85-69452-64-5

         1. Mediunidade. 2. Espiritismo. I. Federação Espírita Brasileira. II. Título.

CDD 133.9
CDU 133.7
CDE 30.03.00

Desde o princípio, o Cristianismo é uma religião de visões e de revelações — e isso o homem moderno, o moderno cristão deve reconhecer. O Novo Testamento não deixa dúvidas a esse respeito. À morte de Cristo na Cruz, segue-se sua ressurreição e após esta os discípulos nos "quarenta dias" se encontraram repetidamente com seu Senhor e Mestre ressurreto.

Em Emaús, dois destes sentam-se à mesa com Ele; do lago de Tiberíades, os apóstolos O veem na praia e, quando desembarcam, Ele lhes havia preparado a refeição que tão bem conheciam, o peixe assado com pão. Ainda depois da Ascensão, continua esse contato entre este mundo e o outro.

Estêvão, no momento de sua morte, vê o céu abrir-se de par em par e Jesus, à direita do Pai. Saulo, no caminho de Damasco, é enceguecido por uma luz deslumbrante e ouve uma voz que tem o fragor do trovão: "Eu sou Jesus, a quem tu persegues".

Atrás do delicado véu dos fenômenos, a verdadeira realidade está sempre presente; e, nas visões e nas revelações, rasga-se o véu. Estêvão e Paulo, Francisco de Assis, Catarina de Siena, Joana d'Arc e, em nossos dias, Dom Bosco, veem o céu aberto e ouvem "palavras indizíveis". "Se, no corpo ou fora do corpo, não o sabemos, Deus scit".[1] E o que, nesse estado de espírito, eles falam ou escrevem não são palavras humanas, mas palavras

---

[1] N.E.: Deus sabe.

inspiradas por Deus. Já os profetas do antigo pacto diziam: "Assim diz o Senhor", e não "Assim digo eu, Jeremias, ou Isaías".

Clovis Tavares

(JØRGENSEN, Johannes. Santa Brígida de Vadstena, 1947, v. 1, p. 112.)

SUMÁRIO

Mediunidade dos santos e dos homens 9
Explicação necessária a esta edição 11
Um livro de mediunidade 15

1 Mediunidade e santidade 19
2 Santos que foram médiuns clarividentes 25
    2.1 Santa Teresa d'Ávila *29*
    2.2 Santa Brígida *37*
    2.3 Santa Catarina *42*
    2.4 Santa Margarida Maria Alacoque *54*
    2.5 A mediunidade de Santa Clara de Montefalco *59*
    2.6 Dom Bosco *65*
    2.7 São João Batista Maria Vianney, Cura d'Ars *68*
    2.8 Outros santos clarividentes *73*
    2.9 A aparição de Teresa de Lisieux relatada por Thomas Merton *78*
3 Clariaudiência na vida de muitos santos 83
    3.1 Santa Joana d'Arc *90*
4 Xenoglossia entre os Santos 93
5 Santos psicógrafos 99
    5.1 Fantasia ou psicografia? *105*
6 Psicopiroforia na Igreja 109
7 Zoantropia, forças do mal 117
    7.1 Sobre Josefa Menéndez e suas revelações *127*

8 Levitação e outros fenômenos físicos na vida dos santos 133
    8.1 Fenômenos físicos... 140
    8.2 Bicorporeidade (ou bilocação)... 146
    8.3 Materialização.. 151
    8.4 Um caso de materialização narrado por um escritor protestante.... 153

9 Psicofotismo e olorização na hagiografia 157

10 Monições e premonições dos santos 163
    10.1 Premonições – Profecias 166
    10.2 Monições e premonições.. 170
    10.3 Dom de profecia 173

11 Onirofania, mediunidade de vários santos 175
    11.1 Mediunidade onírica... 179

12 Mediunidade curativa na Igreja Católica............................187

13 À guisa de conclusão..197
    13.2 Os heróis do espírito... 197
    13.2 Mediunidade pela santidade... 200

Índice temático 207
Índice onomástico 211
Índice das ilustrações 217
Referências 219

MEDIUNIDADE DOS SANTOS E DOS HOMENS

Grandes nomes do Cristianismo foram esquecidos por muitos que não se recordam ou desconhecem as realizações educacionais e espirituais que os chamados santos realizaram ao longo dos séculos.

Costumo dizer que a Doutrina Espírita trouxe de volta, durante o século XX, muitos intelectuais que estavam desgarrados do Evangelho talvez por desilusão com a religião e/ou chocados pelos horrores das duas Grandes Guerras e também pelas injustiças mil causadas pelas ambições humanas.

Em nosso Movimento Espírita é fácil identificar nomes de intelectuais que, mesmo educados no Espiritismo, nunca deixaram de reconhecer os feitos caridosos de irmãos ligados à Igreja Católica, instituição que tais intelectuais sempre tiveram em alta estima.

Um desses nomes é o querido médium espírita Chico Xavier que, sempre ao se dirigir ao público, mencionava a Igreja com muito respeito, e especial carinho para com seus santos luminares.

Sendo para todos nós o exemplo máximo nas práticas cristãs, Chico recomendou a outro grande espírita cristão, o Prof. Clovis Tavares, que pesquisasse sobre a vida e os feitos mediúnicos, ditos milagrosos, dos santos da religião dos nossos pais e avós.

O notável intelectual campista passou então a percorrer livrarias e sebos, à procura de fontes confiáveis, sempre com o auxílio mediúnico do seu grande amigo. Após muita labuta, concluiu o livro, mas não o enviou para a editora. Estava deveras preocupado por ter trazido a lume os feitos milagrosos dos santos sob o prisma da Doutrina Espírita e, assim, poder causar ofensa a seus irmãos católicos e espíritas.

No entanto, o querido médium de Emmanuel compreendeu que o livro *Mediunidade dos santos* poderia unir ainda mais católicos e espíritas, já que o assunto tão bem pesquisado e escrito ajudaria na educação de ambas as denominações religiosas cristãs.

Quando o Prof. Clovis chega ao plano espiritual, atende ao pedido insistente de Chico Xavier, da família e autoriza a publicação de sua obra-prima *Mediunidade dos santos*, que traz uma visão espírita das realizações dos santos do Catolicismo. Clovis fica feliz e se recorda que, apesar de instruído e incentivado pela mediunidade gloriosa do grande divulgador do Evangelho no século 20, seu ranço intelectual ainda era muito ligado ao planeta Terra.

É uma alegria para nós, leitores e pesquisadores, ver essa obra-prima do Cristianismo recomendada pelo médium espírita Chico Xavier ao querido Prof. Clovis Tavares ser publicada pela Federação Espírita Brasileira, que tem prestado, nos últimos 120 anos, uma contribuição admirável à nossa educação no Cristianismo Redivivo.

OCEANO VIEIRA DE MELO[2]
São Paulo (SP), outubro de 2015.

---

[2] N.E.: Oceano Vieira de Melo é pesquisador e documentarista.

EXPLICAÇÃO NECESSÁRIA A ESTA EDIÇÃO

Esta é uma obra póstuma.

Por longos anos de sua fecunda vida terrena, dedicou-se meu pai, Clovis Tavares, ao estudo dos fenômenos psíquicos ocorridos na vida dos santos.

Prefaciada antecipadamente por Emmanuel, esta obra não foi concluída. Seu extremado zelo doutrinário, associado a uma autocrítica constante, levaram-no a um postergar constante que não previu a chegada da irmã morte, como a chamava São Francisco.

Sua intenção não eram biografias dos admiráveis cristãos aqui relacionados. Tampouco era analisar friamente a fenomenologia em suas vidas.

Para meu pai, a compreensão do aspecto espiritual da mediunidade sempre foi o mais importante. Dizia ele que os santos da Igreja católica eram médiuns genuinamente e que as suas faculdades formaram-se no contexto de seu burilamento moral. Desse modo, a mediunidade do santo estava no ápice de uma evolução psíquica de sua alma.

Os seus arquivos ficaram muitíssimo bem organizados. Eram individualizados por tema, como "clarividência", "clariaudiência", "psicofotismo e olorização" etc.

Encontramos uns poucos lapsos que, de modo algum, nos impediram de compor os *elos perdidos*.

Em que pese o fato de ter sido concluído por um amador como eu, considere-se que existe aqui um maravilhoso acervo, que bem útil será aos honestos pesquisadores da hagiografia e da fenomenologia psíquica.

Ana Carrel, esposa do magnífico Alexis Carrel, escreveu no prefácio de *Réflexions sur la conduite de la vie* (obra póstuma do inesquecível sábio): "Tenho eu o direito de guardar só para mim os seus últimos conselhos?".

Igualmente nós outros nos indagamos se é justo reter conosco este acervo de valor inestimável quanto à confirmação de uma verdade espiritual e quanto à reverência aos heróis da fé, que, no sofrimento, no isolamento, na perseguição, na calúnia e na incompreensão, inclusive de seus pares, foram os protagonistas do fato mediúnico.

Foi uma tarefa árdua. Eu contava com apenas 25 anos, era inexperiente em todos os sentidos. Contudo, tomei o arado e não olhei para trás. Reuni os manuscritos, organizei-os, busquei dar um corpo, enfim, à obra. Peço, portanto, o perdão dos leitores pelos retoques no quadro do artista que foi meu pai; todavia, não era possível de outro modo a consecução de seu trabalho.

Relaciono a seguir os capítulos em que a minha pena contaminou a pureza original da obra de meu pai: capítulo 3 (Santa Joana d'Arc e São Francisco de Assis); capítulo 4 (Teresa Neumann); capítulo 5 (São João Crisóstomo); capítulo 12 (São João Maria Vianney, Cura d'Ars).

A conclusão foi escrita por minha mãe e por mim, argumentando a necessidade que se nos impunha da conclusão da obra e o testemunhando o nosso eterno preito de gratidão ao inesquecível médium santo: Francisco Cândido Xavier. E é justamente por sua intercessão que esta obra está vindo a lume, pois ele pediu insistentemente à minha mãe que não deixasse de concluí-la, porque era a "obra-prima do Clovis".

Contamos, naquele momento, com a generosidade do amigo Dr. Hércio Arantes, do Instituto de Difusão Espírita, e com a ajuda preciosa do Dr. Elias Barbosa, de Uberaba.

Eles retificaram os meus inúmeros lapsos, com a paciência e a prudência dos sábios, além de apresentarem oportunas sugestões que, de pronto, foram aproveitadas.

A primeira edição surgiu em 1987, numa bela apresentação do Instituto de Difusão Espírita, de Araras, que foi muito bem aceita pelo público espírita. É um trabalho riquíssimo de dados, muitos dos quais praticamente inacessíveis, de livros esgotados e não reeditados. Livros portugueses, franceses, espanhóis e italianos, todos católicos, com imprimátur,[3] constituindo-se num valioso abono para as informações aqui contidas.

No ano de 2003, a Casa Del Nazareno Edizioni promoveu a versão do *Mediunidade dos santos* para o italiano, *Medianità dei Santi*, em primorosa apresentação, distribuída na língua e na pátria da maioria dos biografados e na terra do papado.

Em 2005 houve uma edição especial pela Prestígio Editorial, que pretendeu alcançar o público além das fronteiras espíritas e, como sempre, sedento de informações sobre as ultrarrealidades tratadas neste livro, isto é, uma abordagem sobre os santos católicos, como mediadores da bondade divina, através da mesma fenomenologia que foi, no século XIX, esclarecida por Allan Kardec.

Devo acrescentar que meu Pai, Clovis Tavares, escreveu-nos seis cartas através do querido Chico Xavier, entre os anos de 1984 e 1993, inseridas no livro *A saudade é o metro do amor*, no qual reiteradamente agradece-nos por termos concluído o seu trabalho, que chama no texto, carinhosamente, de "nosso".

Neste ano de 2015, o nosso amigo Oceano Vieira de Melo foi o intermediário entre a família Clovis Tavares e a Federação Espírita Brasileira, com a finalidade de proporcionar uma nova edição com o selo FEB. Envolvo desse modo, com gratidão, o querido irmão Oceano e toda a diretoria da FEB num amplexo de reconhecimento eterno.

FLÁVIO MUSSA TAVARES

Campos (RJ), 20 de janeiro de 2015.

(Centenário de Clóvis Tavares)

---

[3] N.E.: Permissão concedida por autoridade religiosa para que seja impresso texto submetido à sua censura, e que passa a figurar no verso da página de rosto ou do anterrosto (*Dicionário Houaiss*).

UM LIVRO DE MEDIUNIDADE[4]

O Evangelho é um livro de mediunidade por excelência.

Para comprovação, basta recordar-lhe alguns tópicos.

Surge o Mestre em plano de exaltação medianímica.

O Espírito de Gabriel entra em contato com Zacarias, vaticinando o nascimento de João Batista. Em seguida, procura Maria de Nazaré, anunciando-lhe a vinda de Jesus.

Um amigo espiritual conversa com José de Galileia, em torno do mesmo assunto.

Espíritos purificados materializam-se, à frente dos tratadores de animais, exalçando o Cristo.

Um Espírito santificado move Simeão a reconhecer o divino Orientador recém-nato.

Mais tarde, no ministério público, vê-se Jesus cercado de médiuns e fenômenos mediúnicos.

Transforma-se a água em vinho nas bodas de Caná.

Multiplicam-se pães e peixes para a turba faminta.

Ele, o Mestre, restaura o equilíbrio de vários médiuns obsediados, inclusive de enfermos diversos, atuados por Espíritos sofredores, que os segregavam em moléstias-fantasmas.

Corporificam-se Espíritos veneráveis no cimo do Tabor.

---

[4] Prefácio recebido pelo médium Francisco Cândido Xavier.

Simão Pedro assinala em si próprio a influência simultânea de Espíritos felizes e infelizes.

Nas meditações dos jardins, que lhe precederam a crucificação, o Senhor é sustentado por um Espírito angélico.

Depois da morte do grande Renovador, desbordam acontecimentos mediúnicos de todas as condições.

Maria de Magdala surpreende-lhe o Espírito, nas vizinhanças do túmulo vazio.

Dois companheiros encontram-no a caminho de Emaús.

Os discípulos conseguem vê-lo e ouvi-lo, a portas trancadas, em sucessivas reuniões de Jerusalém.

Após algum tempo, sete deles logram-lhe a presença, junto às águas do Tiberíades.

Legiões de instrutores desencarnados improvisam efeitos físicos, no dia de Pentecostes, entre os semeadores do Evangelho, impelindo-os a falar em línguas diferentes.

Um benfeitor espiritual liberta os cultivadores da Boa-Nova, retidos indebitamente numa cadeia pública.

Realizações da mediunidade socorrista fazem-se intensas.

O Espírito de Jesus aparece a Saulo de Tarso, que cai de rojo, traumatizado de assombro, e, para ajudá-lo, visita Ananias, em Damasco, a solicitar-lhe cooperação.

Outros médiuns chegam à cena.

Ágabo transmite instruções da esfera espiritual.

Elimas é medianeiro a desgarrar-se da missão que lhe cabe.

A jovem adivinhadora de Filipos é médium que as sombras envolvem na exploração mercenária.

Da luz da manjedoura às visões do Apocalipse, todo o Novo Testamento é um livro de mediunidade, emoldurando a grandeza do Cristo.

E os médiuns e as mediunidades se desdobraram, séculos afora, nas trilhas abençoadas do Cristianismo, conforme os certificados inatacáveis da História, dos quais o *Mediunidade dos santos*, do nosso companheiro Clovis Tavares, é um repositório de esclarecimentos e um cântico de luz.

EMMANUEL

Uberaba (MG), 4 de julho de 1968.

1 MEDIUNIDADE E SANTIDADE

> *Convencidos da existência de um Deus único, Pai e Providência da raça humana, sabendo positivamente que este Deus pode entrar em relações diretas com as criaturas racionais, os católicos não negam, a priori, os fatos alegados pelas diferentes religiões que dividem a humanidade.*
>
> (HUBY, Joseph. *Christus: história das religiões.*)

Este singelo ensaio sobre o que podemos realmente denominar mediunidade dos santos visa a oferecer, no espírito de amor à verdade, alguns subsídios ao estudo dos fenômenos psíquicos no seio da Igreja Católica Romana.

Fomos buscar nas fontes e mananciais originais da própria Igreja o testemunho insuspeito das grandes verdades, proclamadas, há pouco mais de cem anos, pela Doutrina Espírita, sabiamente codificada por Allan Kardec.

Justo lembrar aqui, como tantos já o têm feito alhures, que os fatos psíquicos (ou mediúnicos) são tão velhos quanto o mundo. Nos depoimentos históricos mais antigos, nas mais remotas tradições religiosas, nas escrituras antiquíssimas dos hindus, nos cantos dos aedos[5] celtas, nos ensaios dos magos iranianos, ou dos profetas hebreus, nos analectos da China milenária, na literatura dos gregos e dos romanos, em toda a parte e em todos os tempos, os testemunhos sobre as relações entre a Terra e o Céu são encontrados, num consenso universal, a afirmar essa realidade indiscutível.

---

[5] N.E.: Poetas.

Notável médium, dotado de várias faculdades psíquicas, portador de elevado *donum propheticum*,[6] foi o famoso profeta Daniel, de que fala o Velho Testamento. Levado para a Babilônia, após a tomada de Jerusalém por Nabucodonosor, diz a *Bíblia* que Deus deu a Daniel "entendimento em toda a visão e sonhos" (DANIEL, 1:17). Ao profeta eram revelados os segredos em visões noturnas (DANIEL, 2:19). Prevê os destinos do povo hebreu (DANIEL, capítulos 8 a 12) e o fim do Império Persa (DANIEL, capítulos 10 a 12), sendo famosas suas profecias da estátua, das setenta semanas e suas impressionantes visões espirituais.

E o Espiritismo, codificado magistralmente pelo sábio francês, da mesma Lyon de Joseph Huby, oferece explicações satisfatórias e permanentemente válidas de todos esses fatos inegáveis. A Grande Explicação, oferecida pela Doutrina Espírita, atende aos mais exigentes reclamos da inteligência, tanto quanto conforta o coração humano, comunicando a certeza da imortalidade da alma e do primado de Deus e de Sua Lei sobre as angustiadas estruturas do mundo físico.

* * *

A expressão *mediunidade* aplicada aos santos da Igreja pode, à primeira vista, parecer inadequada ao pensamento eclesiástico. Os testemunhos insuspeitos que vão ser narrados, entretanto, mostrarão que a mediunidade é inerente a todo ser humano, embora apresentando características de ordem vária, em aspectos de abastardamento, de desenvolvimento ou de sublimação, conforme a altitude moral e espiritual da criatura.

Na existência dos grandes heróis da fé, que a Igreja denomina genericamente santos, encontram-se, sobejamente, os mais notáveis e maravilhosos testemunhos espirituais da ação inteligente do mundo invisível junto aos seres terrenos. E os santos, à semelhança dos verdadeiros

---

[6] N.E.: Dom profético.

médiuns espíritas, sempre serviram de intermediários entre as forças auxiliadoras da esfera ultraterrestre e as necessidades humanas. Os santos cristãos, quando conscientes de sua missão espiritual, sempre agiram como mediadores entre o grande Além e a Terra, quais os devotados e sinceros missionários da mediunidade na grande seara do Espiritismo Evangélico.

* * *

A expressão *Mediunidade dos santos*, acrescentamos, pode parecer duplamente desagradável e afigurar-se inexpressiva, quer aos católicos, que poderão estranhar se diga que os santos da Igreja hajam sido médiuns, quer a muitos espiritistas, em cujo vocabulário habitual não seja encontradiço o termo santidade.

Entretanto, diante dos depoimentos que oferecemos, esperamos que nossos irmãos católicos não se decepcionem; antes, maravilhem-se com os fatos mediúnicos, pouco divulgados ou conhecidos, que se enxameiam nas vidas dos santos. Verão, ante fatos e relatórios, extraídos de obras chanceladas com o imprimátur e o *nihil obstat* da Igreja, que a expressão *mediunidade* não é absolutamente imprópria nem empregada abusivamente: seu uso, nestas páginas, é decorrência lógica dos próprios fatos. Não foi em vão que Dante relembrou, em sua *Vita nuova*, a velha afirmativa latina de que "os nomes são consequências das coisas" (*nomina sunt consequentia rerum*). Não é justo, pois, que se deixe de usar o termo próprio por preconceituosa aversão.

Aliás, em livro católico editado em 1958 no Porto, com imprimátur eclesiástico e louvores do *Osservatore Romano*, órgão da Santa Sé — *Teresa Neumann, a estigmatizada,* de Ennemond Boniface (1958) — o autor, católico convicto e culto, ao relatar os vários fenômenos psíquicos que sempre se repetiam anualmente, como todos sabem, com a famosa vidente alemã,[7] usa, com a maior naturalidade, expressões que bem podemos denominar

---

[7] Nota do autor: Desencarnada em 18 de setembro de 1962.

espíritas, quais *levitação, xenoglossia, clarividência e clariaudiência*, empregando-as, note-se, para designar os fatos mediúnicos assinalados na vida daquela extraordinária médium católica, a famosa estigmatizada de Konnersreuth.

Nem se diga que a palavra *mediunidade*, pelos muitos abusos em que tem sido mergulhada por falsos médiuns ou desavisados espiritistas, deva ser repudiada, ou não deva associar-se à fenomenologia mística dos santos católicos. Se isso fosse lógico, muitas outras palavras teríamos que deixar de usar, por igualmente serem objeto de abusos sem medida. Do nome sagrado de Deus, do respeitabilíssimo nome de Cristo e de tantos vultos veneráveis da fé, quanto se tem abusado? Nas letras e nas artes, quantos ultrajes? Na filosofia ou na crítica, quantas distorções? Na prática religiosa, quantas explorações simoníacas? De cambulhada,[8] com quão tristes superstições não têm sido empregados? Lamentavelmente afrontosa tem sido a ignorância humana, que deturpa, na sua inconsciência, o que de mais puro, nobre e belo Deus tem enviado para nossa ventura e elevação. Que existe de santo na Terra que não tenha sofrido o impacto humilhante da ignorância deformadora?

Assim sendo, a palavra mediunidade pode ser usada desimpedidamente pelos nossos irmãos católicos, como alguns, aliás, já o fazem, consciente e livremente.

* * *

Dissemos que a expressão *mediunidade dos santos* poderia também causar estranheza a algum confrade espiritista, visto não usarmos, habitualmente, o termo "santo" para designar o campeão da fé ou o missionário da Luz superior. Não existe, todavia, nenhuma razão de esquivança para tal, desde que se considere o santo com a mais elevada expressão de espiritualidade atingida pelo homem na Terra. Inegavelmente, o santo, isto é, o

---

[8] N.E.: Em confusão; desordenadamente; de mistura (*Dicionário Aurélio*).

Foto: Teresa Neumann (1898–1962) | Os estigmas das mãos foram velados de propósito na chapa fotográfica.

homem espiritual, está além do herói ou do sábio, se considerarmos estes dois últimos desprovidos de maiores virtudes ou sabedoria divina.

Nós, espiritistas, reconhecemos a existência de missionários da luz em todos os tempos e em todas as agremiações filosóficas ou religiosas da Terra. Não importa o nome que os designe: benfeitores espirituais, como comumente os chamamos, missionários ou santos, gurus, sufis ou arhats. Eles se encarnam em todas as pátrias e desfraldam em todos os ambientes humanos a bandeira da Espiritualidade superior, de que são intérpretes e mensageiros. Naturalmente condicionam sua linguagem ao seu meio e ao seu tempo, como também é natural que sejam influenciados humanamente pela sua época e pelo seu ambiente.

Nós, espiritistas, tanto reconhecemos a grandeza de um São Francisco de Assis ou de uma Santa Teresa d'Ávila, que viveram sob a égide da Igreja de Roma, como valorizamos as igualmente dignas missões de Bezerra de Menezes, de Bittencourt Sampaio ou de Eurípedes Barsanulfo nos ambientes espiritistas. Reconhecemos, com a mesma admiração e respeito, a elevação espiritual de Melanchton ou de Sundar Singh entre nossos irmãos protestantes, a grandeza de um Serafim de Sarov entre os cristãos ortodoxos, o valor inegável de Buda ou de Krishna entre os hindus, a espiritualidade de Mohiyaddin ou Inayat Khan entre os muçulmanos.

Na verdade, a todas as correntes religiosas e a todos os grupos humanos, a Espiritualidade superior tem enviado, século após século, os nobres mensageiros da luz redentora e do exemplo dignificante, a valerem por convites vivos à humanidade para sua ascensão espiritual.

2 SANTOS QUE FORAM MÉDIUNS CLARIVIDENTES

Tudo o que ignoramos nos parece sempre inverossímil. Porém, as inverossimilhanças de hoje poderão vir a ser as verdades elementares de amanhã.
Para não nos atermos senão às descobertas quase contemporâneas, que, graças a minha avançada idade, vi desenvolverem com meus próprios olhos, farei referência apenas a quatro que, se tivessem sido anunciadas em 1875, teriam parecido monstruosas, absurdas, inadmissíveis:
1ª Pode-se ouvir em Roma a voz de um indivíduo que fala em Paris (telefone);
2ª Podem-se enfrascar germens de todas as doenças e cultivá-los num armário (bacteriologia);
3ª Podem-se fotografar os ossos de pessoas vivas (raios X);
4ª Podem-se transportar quinhentos canhões pelos ares com uma velocidade de 300 quilômetros por hora (aeroplanos).
Aquele que, em 1875, tivesse feito essas asserções audaciosas teria sido tomado por louco perigoso.
(RICHET, Charles. *Tratado de metapsíquica.* v. 1, p. 27.)

...verdades que qualquer dia serão melhor compreendidas, quando os padres e os médicos tiverem aprendido a falar uns com os outros sem a etiqueta, já gasta, das negações do século XIX.
(CHESTERTON, G. K. *São Tomás de Aquino*).

Clarividência, segundo o Dr. Lobo Vilela (1958, p. 172), é a

percepção de objetos ou de acontecimentos em condições que a tornam inexplicável por processos normais. Os antigos magnetizadores, que foram os primeiros a observar este fenômeno, davam-lhe também os nomes de lucidez e dupla vista.

Numa definição muito simples do famoso teósofo Charles W. Leadbeater (1951, p. 5), é "o poder de ver o que está oculto à visão física normal".

Diz ainda Leadbeater (1951) que "ela é frequentemente (se bem que não sempre) acompanhada por aquilo a que se chama *clariaudição*, ou seja, o poder de ouvir aquilo que o ouvido físico normal não pode abranger" (p. 5 e 6). Referindo-se a essas mesmas *clarividência* e *clariaudiência*, observa o sábio Picone Chiodo:

O médium ouve e vê os Espíritos. As pessoas dotadas de tais faculdades descrevem o que veem e repetem as palavras que escutam, de sorte que os amigos das entidades espirituais que se apresentam, facilmente as podem reconhecer. Às vezes, o médium também descreve o que se passa à grande distância. Nesse caso, obtém-se o fenômeno que Myers denominou telestesia (CHIODO, 1938, p. 30 e 31).

J. B. Rhine (1965), notável parapsicólogo da Universidade de Duke (EUA), a enquadra como percepção extrassensorial.

Tratando sobre a *telestesia*, "onde o agente e o sujeito invadido estão reunidos na mesma pessoa, que fez uma incursão clarividente", Myers ([19__?]) diz:

Nos casos deste gênero, como nos de telepatia de que já falei, acontece que o fantasma incursivo foi observado por um assistente, e isto em circunstâncias que excluem qualquer ideia de uma alucinação subjetiva deste último.

Para Richet ([194_?]), é incluído no grupo de fenômenos que designa *criptestesia* geral.

Ernesto Bozzano, em seu magnífico *Animismo ou Espiritismo?*, fala, com muita propriedade, nos "sentidos espirituais da personalidade humana". A clarividência é, na palavra desse grande estudioso dos problemas psíquicos, uma faculdade psicossensória supranormal. Nada tem a ver, em sua essência funcional, com a visão comum, que é faculdade psicossensória normal, fisiológica, podemos acrescentar.

Têm razão, pois, alguns biógrafos de santos e às vezes estes mesmos em suas memórias, quando enfatizam que não foi com a visão corporal que perceberam tais ou quais aparições. Assim, Santa Teresa d'Ávila declara textualmente: "Apareceu-me Cristo com grande rigor, dando-me a entender quanto aquilo Lhe pesava. Vi-O *com os olhos d'Alma*, mais claramente do que O poderia ver com os olhos do corpo".

Na biografia de Santa Gemma Galgani (ROHRBACHER, 1960, p. 258), diz-se: "Gemma levará intensa vida interior. Jesus lhe aparecia, *mas nunca aos olhos do corpo*." Também testemunha de igual modo Santa Margarida Maria Alacoque, a vidente de Paray-le-Monial, em sua autobiografia: "*Via-o e sentia-o junto de mim; e ouvia-o muito* MELHOR DO QUE SE FOSSE COM OS SENTIDOS CORPORAIS, pelos quais me poderia distrair para me voltar para outra coisa" (ALACOQUE, 1936).

O biógrafo de Santa Margarida de Cortona, o franciscano Frei Pachomio Thieman, também escreve:

> *Forçoso nos foi, ao descrever a vida de Santa Margarida, falar em aparições, visões, colóquios com Deus, revelações. Vem ao caso explicar o que a respeito ensina a Teologia. A visão se dá por dois modos: a visão corporal, que se dá quando Deus provoca nos sentidos as impressões próprias, por exemplo, assumindo uma forma visível, ou dizendo palavras perfeitamente perceptíveis pelo ouvido; a visão imaginária, quando Deus, sem intervenção dos sentidos,*

> *provoca a imagem na fantasia do homem. Visões corporais Margarida as teve relativamente poucas; as mais das vezes Deus se lhe manifestava produzindo imagens na fantasia (THIEMAN, 1928, p. 222).*

O Frei Thieman chama de *visão corporal* aquela em que a entidade espiritual percebida pelo clarividente *assume forma visível*, não sendo senão um caso de materialização, uma aparição objetiva, fantasmática, podendo falar "palavras perfeitamente perceptíveis pelo ouvido", como diz o franciscano holandês. Diferentemente, na *visão imaginária*, a entidade espiritual é percebida pela mente (que o autor denomina "fantasia do homem"), sem participação da vista física: é a clarividência, tal como ensina o Espiritismo.

Convém citarmos Bozzano, que esclarece brilhantemente o assunto, mostrando-nos a diferença entre a normal, fisiológica, e a visão supranormal, psíquica:

> *Quando um indivíduo vê com os olhos do corpo, isso significa que um objeto qualquer reflete a sua imagem na retina dos próprios olhos e que a imagem aí impressa, por intermédio do nervo ótico, é transmitida aos centros cerebrais correspondentes, em virtude dos quais a impressão se transforma em visão. Ora, precisamente o oposto se dá no que concerne à visão supranormal, em que o sensitivo percebe fantasmas ou cenas do passado, do presente ou do futuro, não com os olhos do corpo, mas, com a interior visão espiritual. E, como o espírito se acha em relação com o cérebro, produz-se um fenômeno de transmissão inversa, pelo qual a imagem espiritual, vinda dos centros óticos, por intermédio do nervo ótico, chega à retina, donde é projetada no exterior em forma alucinatória, produzindo no sensitivo a ilusão de estar assistindo a uma manifestação objetiva. Outro tanto é de dizer-se das impressões auditivas que, em realidade, consistem num fato de audição espiritual que, influenciando, do interior, os centros acústicos cerebrais, dá ao sensitivo a ilusão de ouvir sons e palavras provenientes do exterior (BOZZANO, 1940, p. 26).*

A clarividência é, pois, uma faculdade psicossensória supranormal, é um sentido espiritual do ser humano. É a visão do Espírito, também chamada *lucidez* por antigos magnetizadores, como Mesmer, Puysegur, Du Potet, e denominada *dupla vista* ou *segunda vista* em *O livro dos espíritos* (KARDEC, 1954, q. 447). É a vista dos sonâmbulos, dos extáticos, dos profetas, dos clarividentes, que enxergam com os olhos do Espírito, independentemente dos órgãos visuais do corpo somático.

2.1 Santa Teresa d'Ávila

São incontáveis os casos e exemplos de vidência mediúnica na existência dos santos da Igreja Romana.

A clarividência na vida de Santa Teresa de Jesus, a grande mística de Ávila, é por ela mesma atestada no magnífico volume de sua autobiografia,[9] precioso conjunto de depoimentos mediúnicos que confirmam a veracidade e a lógica da interpretação espírita dos fenômenos psíquicos, tão abundantes na vida dos grandes santos quanto na missão dos verdadeiros médiuns.

As aparições do Cristo na vida da grande mística de Ávila são inúmeras. No capítulo VII de sua *Vida*, fala das graves irregularidades morais dos conventos espanhóis:

> *Usa-se tão pouco o caminho da verdadeira religião que o frade ou a freira que começam a seguir deveras os seus chamados mais devem temer os companheiros de casa do que a todos os demônios... Não sei de que nos espantamos vendo que há tantos males na Igreja; pois aqueles que deveriam ser os exemplos de quem todos tirassem virtudes, só fazem manchar os esforços dos santos, passados nas lides da religião.*

---

[9] Nota do autor: *Vida de Santa Teresa de Jesus escrita por ella misma*, impressa pela primeira vez em Salamanca, 1588, sob os cuidados de Frei Luís de León.

Foto: Santa Teresa de Jesus (d'Ávila) (1515–1582) | Tela apresentando a aparição de Jesus a Santa Teresa d'Ávila

E refere-se a determinadas visitas que compareciam aos conventos e que a santa não cuidava serem moralmente perigosas:

Estando eu com uma pessoa pouco tempo depois de conhecê-la, quis o Senhor dar-me a entender que não me convinham aquelas amizades, avisar-me e dar-me luz em cegueira tão grande. Apareceu-me Cristo com grande rigor, dando-me a entender quanto aquilo Lhe pesava. Vi-O com os olhos da alma, mais claramente do que O poderia ver com os olhos do corpo e ficou aquilo tão bem impresso em mim que, agora, passados vinte e seis anos, ainda me parece que O tenho presente. Fez-me muito mal de não saber que era possível ver sem os olhos do corpo; e o demônio, que me ajudou nesse engano, fez-me entender que era coisa impossível; que eu o havia imaginado; que só poderia ser obra diabólica e outras coisas dessa espécie. Contudo, sempre me ficava a ideia de que fora obra de Deus e que não era ilusão.

No texto, é explícita a declaração da clarividência da santa. Cristo lhe apareceu e a repreendeu. Interessante é notar a observação seguinte. Diz Santa Teresa que viu Jesus "com os olhos da alma, mais claramente do que O poderia ver com os olhos do corpo". Estava absolutamente certa a grande Doutora da Igreja. A Doutrina Espírita explica como se processa a sensibilização das antenas psíquicas para o fenômeno da clarividência.

No livro *Nos domínios da mediunidade*, de André Luiz, psicografado por Francisco Cândido Xavier, encontramos esclarecimentos a respeito da visão psíquica:

O círculo de percepção varia em cada um de nós. Há diferentes gêneros de mediunidade; contudo, importa reconhecer que cada Espírito vive em determinado degrau de crescimento mental e, por isso, as equações do esforço mediúnico diferem de indivíduo para indivíduo, tanto quanto as interpretações da vida se modificam de alma para alma. [...] Os olhos e os ouvidos materiais estão para a vidência e para a audição como os óculos estão para os olhos e o ampliador de sons para os ouvidos — simples aparelhos de complementação. Toda percepção é mental. Surdos e cegos na experiência física, convenientemente educados, podem ouvir e ver, através de recursos diferentes daqueles que são vulgarmente utilizados. A onda hertziana e os raios X vão ensinando aos homens que há som e luz muito além das acanhadas fronteiras vibratórias em que eles se agitam, e o médium é sempre alguém dotado de possibilidades neuropsíquicas especiais que lhe estendem o horizonte dos sentidos (XAVIER, 1984, cap. 12, grifo nosso).

Sim, Santa Teresa viu com os *olhos da alma*. Não sabia ela, entretanto, como confessa, que "era possível ver sem os olhos do corpo". Naquele nublado século XVI, não havia surgido ainda a luz esclarecedora das leis dos fenômenos psíquicos. Os santos da Igreja, possuidores das possibilidades mediúnicas da clarividência, foram muitas vezes considerados vítimas dos *enganos do demônio*, a quem se atribuíam todas as manifestações do inabitual. A própria Teresa teve de esforçar-se para superar as interpretações negativas de diabolismo: "Fez-me muito mal o fato de *não saber que era possível ver sem os olhos do corpo*". Sim, o desconhecimento das leis que regem os fenômenos transcendentais muito mal nos pode fazer, esclerosando nossa mente e incapacitando-a para o exame do universo que nos rodeia, privando-a, muita vez, da possibilidade de raciocinar além de bitolas e rotinas.

Essa a grande benção que o Espiritismo Cristão veio trazer ao mundo. Não somente fazer "saber que é possível ver sem os olhos do corpo", mas fazer o homem saber e conhecer, estudar e investigar, buscar e amar as grandes e belas leis que governam o universo de Deus. A Doutrina Espírita se traduz por revolução espiritual que inicia uma nova era de desenvolvimento moral e espiritual da raça humana, lançando uma nova luz, poderosa e inapagável, sobre as verdades aceitáveis tanto ao sábio quanto ao simples.

Rogers Rusk, professor de Física nos Estados Unidos, recorda numa obra sua (RUSK, 1947) a grande marcha, a grande onda de desenvolvimento científico iniciada no final do século passado, com a descoberta dos raios X, da radioatividade, do elétron, das ondas eletromagnéticas. Afirma o cientista que essa onda continua, cada vez mais rápida, a carregar-nos para frente, embora ele mesmo ignore esse futuro a que somos arrastados. Lembra contudo que, quando Galileu, na Torre Inclinada de Pisa, derrubou a lei de Aristóteles sobre a gravidade dos corpos, surgiu uma revolução que marcou o início da idade da ciência experimental. E assinala que a descoberta do elétron, no final do século XIX, também constituiu uma revolução que nos levou ao desenvolvimento da moderna *teoria elétrica da matéria*. Com a teoria dos *quanta*, de Planck, outra revolução que destruiu velhos conceitos relacionados com a natureza da matéria, da luz e da energia. Em 1905, Einstein provoca, com sua Teoria da Relatividade, nova e profunda comoção na ciência, apresentando, ao homem, um universo diferente em sua totalidade.

Nessa análise de apenas alguns poucos anos do desenvolvimento da ciência nos tempos modernos, sem a remontarmos às primeiras pesquisas dos gregos, podemos concluir sensatamente como tem sido real a ideia de evolução no campo do conhecimento material. Evolução de conceitos, evolução de métodos, evolução de técnicas.

No campo da espiritualidade, igualmente, a evolução é um fato. A Revelação divina se faz progressiva, em atenção à crescente maturidade das criaturas. Assim como o Cristianismo constituiu uma revolução de ordem espiritual no seio da Religião de Moisés ("Antigamente vos foi dito, Eu, porém, agora vos digo" — asseverava o Cristo), também a Doutrina Espírita não deixa de constituir uma revolução espiritual no seio de nossa moderna cristandade, que tem muito pouco de cristã. Novos conceitos, novos métodos, novas luzes, novas interpretações, novos estímulos, energias espirituais novas e fortes bem representam aquele Espírito de Verdade prometido pelo Senhor na Última Ceia, Espírito de Verdade que mais tarde Ele enviaria ao mundo para "nos ensinar todas as coisas e nos fazer lembrar tudo quanto Ele nos tinha dito, guiando-nos em toda a verdade" (João, 14:26, 16:13).

Eis por que o Espiritismo Cristão ensina que a vidência espiritual e os demais gêneros de mediunidade, amplamente manifestos na vida dos santos da Igreja tanto quanto na mediunidade honesta dos templos espíritas, não são *tentações do demônio* nem *manhas do diabo*, consoante as gratuitas afirmativas dogmáticas, mas aspectos espirituais da personalidade humana em expansão, em crescimento para Deus e para novas formas de evolução do Espírito.

Teve razão Teresa d'Ávila ao afirmar que lhe fazia mal desconhecer tais coisas da alma. Agora somos chamados, Deus louvado, a sentir quão grande bem nos é ao espírito o conhecimento das grandes e sábias leis que regem nossa vida, no seio da Grande Casa Universal de nosso Pai celeste.

Frei Stéphane Joseph Piat (1962, p. 37) refere-se à clarividência de Santa Teresa d'Ávila:

> *O próprio céu ratifica esse julgamento quando, depois da morte, Frei Pedro aparece à Reformadora do Carmelo, rodeado pelo brilho fulgurante de sua beatitude, e diz-lhe em tom penetrante: "Ó bendita penitência, que me valeu tamanho peso de glória!".*

E noutra passagem:

> *Durante um almoço, Teresa d'Ávila viu o Mestre divino aproximar-se e servir o frade menor (Frei Pedro de Alcântara) com as próprias mãos e com um carinho infinito (p. 40).*

Santa Teresa, conta ainda Piat (1962, p. 42 e 98), "viu Francisco de Assis e Antônio de Pádua ladeando Pedro de Alcântara para lhe servir de ajudantes", num ofício religioso.

São Pedro de Alcântara foi um dos grandes, senão o maior dos amigos de Santa Teresa d'Ávila. Ernest Hello chega a dizer que "Pedro de

Alcântara dividiu em duas partes a vida de Teresa d'Ávila. Antes dele foi de trevas, com ele veio a luz" (apud CARDOSO, 1935, p. 23).

Diz ainda Piat:

> Do alto dos céus o santo continuou cooperando sobrenaturalmente. Diversas vezes, quando as coisas se apertavam, ele apareceu à querida carmelita para guiá-la e encorajá-la. Quando os adversários voltam à carga querendo impor às irmãs fundos de rendas, Frei Pedro APARECE COM UM ROSTO SEVERO: "Cuidem atentamente de não receber rendas; por que não seguem o meu conselho?" Quando ela mandou rebocar o claustro, ele reclamou: "Se o muro cair, haverá sempre uma pessoa para reerguê-lo". Quando Madre Teresa sentia qualquer desgosto ou sofria alguma contradição, COSTUMAVA INVOCÁ-LO e se via IMPRETERIVELMENTE OUVIDA (1962, p. 98).

"Teresa d'Ávila *o viu subir aos céus em incomparável esplendor*", diz ainda Piat (1962, p. 108). O próprio Pedro de Alcântara foi também um grande clarividente:

> Cristo não o abandonou nesses extremos. Apareceu-lhe numa noite nos braços da Virgem, ladeado por João Evangelista. Os religiosos se sobressaltaram de tanta luz. Acorreram e puderam ouvir alguns ecos do colóquio adorável (1962, p. 103).

Há outras referências semelhantes, na mesma obra.

Declara Santa Teresa de Jesus, a respeito de São Pedro de Alcântara, após a desencarnação deste: "Tenho-o visto muitas vezes com grandíssima glória. Parece-me que muito mais me consola do que quando aqui estava" (VIDA, 1947, p. 147).[10]

---

[10] Nota de Hércio M. Arantes: Encontramos, na obra mediúnica de Francisco Cândido Xavier, belíssimas mensagens de Teresa d'Ávila (*Instruções psicofônicas*, cap. 32; *Falando à Terra*, 3. ed., p. 217; e *Dicionário da alma*, 2. ed., trechos de mensagens: p. 67, 69 e 145, edições da FEB) e do Frei Pedro de Alcântara (*Instruções psicofônicas*, cap. 11; e *Tempo e Amor*, em parceria com Clovis Tavares, cap. 16.)

Foto: São Pedro de Alcântara (1499–1562) | Talha policromada de Pedro de Mena

2.2 Santa Brígida

À semelhança das antigas profetisas do Velho e do Novo Testamento, na mesma tradição que remonta a Miriam, irmã de Moisés, com seus louvores a Deus e suas dificuldades mediúnicas; a Hulda, que profetizou a destruição de Jerusalém; a Débora, com suas intervenções na política de seu povo e de seu tempo, e a Ana, filha de Fanuel, que reconheceu em Jesus menino, quando apresentado no Templo, o Cristo prometido e assim o proclamou... Na mesma trajetória espiritual de Francisco de Assis e de Catarina de Siena, Brígida dirige sua palavra inspirada ao povo da Suécia. Fala aos reis e aos príncipes de sua pátria, aos seus chefes religiosos locais e, finalmente, ao próprio papa de Roma. Foi, por isso, chamada de "correio a serviço de um Grande Senhor".[11]

Transmite ao povo palavras proféticas, que ouve das elevadas esferas espirituais. Chega a anunciar catástrofes para a sua pátria e suas predições vieram a cumprir-se. No processo de canonização, Petrus Olai, seu confessor e que muitas vezes funcionou como seu secretário, relata que, quando *Fru*[12] Brigitta se estabeleceu em Alvastra (Suécia), no ano de 1346, "aconteceu que Deus lhe concedeu em grande abundância *visões e divinas revelações*; não enquanto ela dormia, *mas em vigília, quando orava*. O corpo permanecia como sempre, mas ela era arrebatada em êxtase, *fora dos sentidos*" (JØRGENSEN, 1947, p. 127). Era Petrus Olai que escrevia os ditados transcendentais, ou, noutras palavras, as mensagens mediúnicas e as traduzia para o latim (... *comínciò Petrus Olai a scrivere e a tradurre tutte le visioni e rivelazioni...*) (JØRGENSEN, 1947, p. 129).

Impressionante a humildade dessa grande servidora do Senhor. Franciscana, conservou sempre a humildade evangélica do *Poverello*. De si mesma, dizia: "Sou apenas uma formiguinha diante de Deus". De sua grande

---

[11] "Ego sun quasi cursor litteras Domini deferens" (COLLIJN, 1931, p. 199 e 233).
[12] N.E.: "Senhora" em sueco.

Foto: Santa Brígida (1302–1373) | Selo postal da Suécia

tarefa espiritual nunca se orgulhou, arrazoando: "Se um grande Senhor envia um pobre menino em missão junto de seus amigos, não há motivo para louvar o menino por isso" (JØRGENSEN, 1947, p. 130). Quando o Mestre Matias, conta Jørgensen,[13] contrapunha que o bom exemplo deve ser apontado e que os bons exemplos de Brígida poderiam servir de edificação aos outros, a valorosa e humilde servidora respondia: "Minha embarcação ainda está em alto-mar: Louvar-me-eis quando eu houver atingido o porto".

Inúmeros são os casos, narrados por Jørgensen — biógrafo de Santa Brígida — de aparições de santos a Brígida de Vadstena. Limitar-nos-emos a alguns.

A nossa vidente orava, um dia, na igreja de Santa Maria Maior, em Roma, quando se sentiu arrebatada, em êxtase e contemplou o espírito da Santa Mãe de Jesus, que a esclareceu sobre dúvidas íntimas e muito a confortou (JØRGENSEN, 1947, v. 2, p. 42). Quando Brígida, humilde que era, duvidou, certa vez, de sua própria missão, idêntico auxílio do Alto veio pela palavra de João Batista, o Precursor, palavra que foi continuada, no mesmo momento, pelo auxílio de Maria, que novamente levantou o ânimo, para o comprimento de sua nobre tarefa espiritual (JØRGENSEN, 1947, v. 2, p. 45).

O Espírito de João Evangelista já lhe aparecera, certa vez, na Suécia, elucidando-a a respeito de ideias correntes sobre a iminente vinda do Anticristo. Dissera-lhe o Apóstolo, na visão: "Não sabemos nem o tempo nem a hora". Brígida disso se recordou — das palavras do Espírito de João — quando mais tarde, em Roma, um monge, um *saccus verborum*,[14] queria lhe impingir ideias também sobre impendente aparição do Anticristo no mundo (JØRGENSEN, 1947, v. 2, p. 109).

Também, numa igreja que lhe era dedicada em Roma, apareceu a Brígida o Espírito de São Lourenço, o valoroso mártir do século III (JØRGENSEN, 1947, v. 2, p. 71).

---

[13] N.E.: Pronuncia-se "Iôrgensen".
[14] N.E.: "Saco de palavras".

Outra aparição, em Roma, foi a do Espírito de São Francisco de Assis. Numa igreja a ele dedicada, no Trastevere, no dia 4 de outubro de 1351, Brígida vê e ouve o espírito do *Poverello*, que lhe fala com especial carinho. Meses depois, a Santa, em companhia de sua filha Karen (Catarina) e outros peregrinos, dirige-se a Assis. Jørgensen descreve as impressões da vidente sueca ao chegar ao humilde santuário de Francisco. Traduzimos apenas o seguinte trecho:

> *Sobre o altar não havia nenhum quadro,[15] mas estava São Francisco em pessoa. Dos estigmas de suas mãos, de seus pés e do lado, EMANAVAM RAIOS DOURADOS; e esses raios transpassaram o coração de Brígida: "Bem-vinda sejas aqui, aonde te convidei. Mas existe uma morada que ainda é mais minha — a obediência ".*

Impressionante é a semelhança entre essa visão de Santa Brígida, percebendo o Espírito de São Francisco a irradiar luzes espirituais de onde outrora, em sua vida física, se localizaram os dolorosos estigmas, e outra, do médium Francisco Cândido Xavier, ao contemplar pela primeira vez o Espírito Jésus Gonçalves, recém-desencarnado, em Pedro Leopoldo.

No seu belo livro *No mundo de Chico Xavier*, o Dr. Elias Barbosa entrevistou o famoso médium espírita de Minas Gerais a respeito de Jésus Gonçalves, o sempre lembrado poeta paulista, vítima do mal de Hansen em sua última encarnação terrena. Vale a pena transcrever alguns trechos da resposta do nosso querido Chico, recordando as circunstâncias em que se deu a primeira aparição do espírito do poeta:

> *Terminada a mensagem do nosso querido orientador [Emmanuel] e quando me achava ainda em profunda concentração mental, vi a porta de entrada*

---

[15] Nota do autor: O hagiógrafo se refere ao belo afresco de Hilário de Viterbo, *A anunciação de Maria*, que é de 1393 e não existia na capela, portanto, na época da visita de Brígida a Assis (JØRGENSEN, 1947, v. 2 , p. 89).

iluminar-se de suave clarão. Um homem-espírito apareceu aos meus olhos, mas em condições admiráveis. Além da aura de brilho pálido que o circundava, trazia luz não ofuscante, mas clara e bela a envolver-lhe certa parte do rosto e da cabeça, ao mesmo tempo que uma das pernas surgia vestida igualmente de luz. Profunda simpatia me ligou o coração à entidade de que nos buscava, assim de improviso, indaguei mentalmente se eu podia saber de quem se tratava.
O visitante aproximou-se mais de mim e ouvi-lhe a voz calma e firme:
— Chico, eu sou Jésus Gonçalves! Cumpro a minha promessa... Vim ver você!
As lágrimas me subiram do coração aos olhos. Percebi que inolvidável amigo mostrava mais intensa luz nas regiões em que a moléstia mais o supliciara no corpo físico e quis dizer-lhe algo de minha admiração e de minha alegria, entretanto, não pude articular palavra alguma nem mesmo em pensamento (BARBOSA, 1986, p. 57-62).

Foi nessa reunião memorável, em companhia dos confrades Francisco de Paula Cardoso e Dr. Raul Soares, que Chico Xavier recebeu os primeiros versos psicografados de Jésus Gonçalves. Intitulam-se *Palavras do companheiro*, e o poeta desencarnado dedicou-os aos seus irmãos de sofrimento da Colônia de Pirapitingui, estado de São Paulo. São dois belíssimos sonetos, de que destacamos os dois tercetos do primeiro deles:

Não desdenheis a chaga que depura,
Nossas horas de amarga desventura
São dádivas da Lei que nos governa!

As escuras feridas torturantes
São adornos nas vestes deslumbrantes
Que envergamos ao sol da Vida Eterna!

Vale a pena ler ou reler toda a sentida descrição que Chico Xavier faz desse primeiro encontro espiritual com o poeta paulista, no esplêndido livro do Dr. Elias Barbosa.

Como percebe o leitor, os fenômenos são os mesmos, são idênticos os fatos espirituais, sem barreiras de espaço ou de tempo, entre as diversas famílias religiosas em que a humanidade se reparte.

2.3 Santa Catarina

Impressionante caso de clarividência se deu com uma filha de Santa Brígida, Karin (Catarina); a mesma Santa Catarina da Suécia. É o mesmo Jørgensen (1947, v. 2, p. 98) quem o relata e aqui se resume:

À semelhança de sua mãe e amiga, Karin muitas vezes também ia orar na famosa igreja de São Pedro, não longe do palácio do Cardeal, onde estiveram por algum tempo hospedadas. Um dia, Karin orava diante do altar de São João Evangelista quando viu aproximar-se de si uma mulher que lhe falou em língua sueca. Tinha a desconhecida o aspecto de peregrina: saia branca, manto negro, um véu branco... A desconhecida ajoelhou-se junto de Catarina e lhe disse em voz baixa:

— Querida *Fru* Karin, orai pela alma de Gisla!

Gisla era o nome da cunhada de Karin, a segunda esposa de Karl. Ao ouvir esse nome, Catarina levantou-se, convidando a interlocutora a acompanhá-la em casa. A estranha mulher disse não dispor de tempo para tal, mas repetiu:

— Orai pela alma de Gisla. Estais no momento em dificuldades, mas Deus já providenciou o auxílio que vos é necessário. Dentro de poucos dias vos chegará um mensageiro da Suécia com o dinheiro que de lá solicitastes, acrescido de uma coroa de ouro, que *Fru* Gisla vos deixou como último sinal de amizade.

Após essas palavras, a interlocutora desapareceu. Acrescenta o hagiógrafo:

E quando Karin perguntou aos que a acompanhavam se haviam visto para onde se havia dirigido a desconhecida, eles lhe responderam que não haviam visto pessoa alguma: — Havíamos percebido que estáveis falando com alguém, mas não vimos pessoa alguma.

O certo é que poucos dias depois chegou Ingvald Ammundsen, trazendo da Suécia a coroa de esposa de *Fru* Gisla, uma coroa de ouro coberta de pedras preciosas, objeto de tão grande valor que, com sua venda, Brígida e família puderam viver por um ano inteiro. Cumpriu-se, assim, a palavra do espírito da escandinava desconhecida que somente Catarina pôde ver...

* * *

A clarividência de Santa Brígida também penetrava as regiões inferiores do mundo invisível e muitas de suas descrições fazem recordar, como as de Josefa Menéndez — de quem ainda falaremos —, as dos livros de André Luiz, psicografados por Francisco Candido Xavier.[16]

Uma senhora que foi sua hóspede em Roma, durante algum tempo, desencarnou e Brígida viu seu Espírito em dificuldades no Além. Uma verdadeira multidão de Espíritos malfeitores e ignorantes buscava arrebatá-la. Em dado momento, surge uma belíssima menina (*una bellissima giovinetta*) que se dirige aos obsessores: "Que quereis fazer com ela?". E os Espíritos atormentadores fugiram (JØRGENSEN, 1947, v. 2, p. 104).

---

[16] Nota do autor: O lúcido Espírito André Luiz ditou ao médium Francisco Cândido Xavier vários livros que relatam a vida nos planos espirituais (*Nosso Lar, Os mensageiros, No mundo maior, Libertação*, etc.), todas edições da Federação Espírita Brasileira.

Conta o mesmo biógrafo da santa que Brígida de Vadstena teve certa vez uma visão de que não mais pôde esquecer. Leiamos o texto do próprio Jørgensen:

> *Vira um esplêndido cortejo de eclesiásticos: cardeais, bispos, prelados, todos a cavalgarem soberbos ginetes. Esporeavam os animais e partiam altivamente. Brígida, que assistia a essa soberba saída, não podia deter o riso. Porque, escarranchando em cada um desses grandes senhores, se acomodava uma entidade trevosa, um diabo. E acomodavam-se, sentando-se nos ombros dos cavaleiros, de tal modo que suas pernas pendiam sobre o peito destes.*

Essa visão, a santa escandinava relatou, em carta, ao Arcebispo de Nápoles, Bernardo Montauro, o mesmo que lhe solicitara, certa vez, que o informasse "como estavam alguns de seus parentes falecidos: se suas almas estavam no purgatório ou não" (*come stavano alguni suoi parenti defundi: se le loro anime erano al Purgatorio o no*) (JØRGENSEN, 1947, v. 2, p. 161-162).

Às vezes, as visões de Brígida, por ela não entendidas, eram interpretadas pelos próprios Espíritos, como o fez em Roma sua amiga espiritual Santa Inês.

Outras vezes, sua clarividência penetrou regiões de sofrimento do mundo invisível, os "extensos reinos do Purgatório", e pôde enxergar malfeitores desencarnados atormentando seus infelizes habitantes, fazendo-nos recordar as descrições de André Luiz a respeito das regiões umbralinas.

Às vezes, o olhar profundo da grande vidente penetra regiões infernais, a recordarem as "trevas infernais" das descrições de André Luiz em *Ação e reação* (XAVIER, 1980, cap. 10). Nessas suas *Revelações*, descreve um drama pavoroso: um espírito de mãe a padecer nas regiões infernais, lamentando os descaminhos a que conduziu sua filha, ainda encarnada no mundo, e uma neta em esferas purgatoriais. Brígida descreve os sofrimentos dessa pobre mãe, que se incrimina de haver concorrido para os grandes desacertos morais de sua filha, sem deixar de incriminá-la igualmente. Também a outra entidade espiritual, embora em sofrimentos menos ásperos, inculpa sua mãe, cujos maus conselhos lhe levaram às dolorosas condições de Espírito sofredor. Essa "dupla acusação, do inferno e do purgatório", para usar a linguagem de Jørgensen, produziu seus efeitos sobre aquela que ainda neste mundo se encontrava, levando-a ao arrependimento e à regeneração, ao aceitar as informações mediúnicas de Santa Brígida (JØRGENSEN, 1947, v. 2, p. 167-168).

Três anos após sua morte, é o próprio Espírito de Brígida que aparece, *splendente di eternità*, a um gentil homem napolitano, Andriolo Mormile, no leito de agonia, ajudando-o a fazer as pazes com uma família rival, os Di Constanzo, contra os quais lutara a vida inteira... (JØRGENSEN, 1947, v. 2, p. 235).

Santa Brígida também via e ouvia o Espírito de São Botvid, um missionário cristão da Suécia, apóstolo de Södermanland, desencarnado em 1120. Esse antigo pregador do Evangelho "vinha quando ela o chamava" (*egli veniva quando lei lo chiamava*, cf. JØRGENSEN, 1947, v. 1, p. 111), havendo-lhe declarado que ele e outros Espíritos haviam obtido do Senhor para Brígida a graça de ouvir e ver coisas espirituais.

A importante obra de Johannes Jørgensen sobre Santa Brígida de Vadstena é um acervo admirável de fatos mediúnicos ligados à grande mística sueca do século XIV. Quem conhece o autor através de suas magníficas biografias de São Francisco de Assis e Santa Catarina de Siena, não pode duvidar de sua íntegra honestidade tanto na pesquisa histórica quanto na hagiografia.

Temos em mãos a tradução italiana de sua história de Santa Brígida, publicada pela Morcelliana, de Brescia, com o imprimátur da Igreja ("Brixiae, 4 octobris 1947 imprimátur Can. Ernestus Pasini Vic. Gen."), totalizando 568 páginas em dois volumes.

Por mais extraordinários ou espantosos que pareçam ao leitor católico os fatos supranormais relatados por Jørgensen, são eles da mesma natureza dos que se encontram na vastíssima bibliografia espírita. Convém citar aqui, como testemunho da sinceridade do hagiógrafo, suas próprias palavras no prefácio de seu livro:

> *Espero haver-me mantido fiel à palavra que Leão XIII, a seu tempo, dera como guia para toda pesquisa histórica: "Ne quid non veri audeat, ne quid veri non audeat"* — *"Jamais ousar dizer coisas não verdadeiras, não se expor nunca a esconder uma verdade". Deus não tem necessidade de nossas mentiras e a luz da verdade jamais é demasiadamente esplendorosa* (JØRGENSEN, 1947, v. 1, p. xi-xii).

Fazemos nossas, *data venia*, essas palavras, antes de citar alguns fatos, apenas alguns, da extensa coleção de Jørgensen.

Na noite do nascimento de Santa Brígida, em Finsta, não longe de Uppsala, na Suécia, estava em oração o pároco da localidade, quando "viu uma nuvem luminosa e nela sentada uma virgem, que tinha em mãos um livro". A entidade espiritual anunciou ao sacerdote: "Acaba de nascer uma filha de Herr Birger e sua voz portentosa será ouvida em todo o mundo". Além desse pároco, outro eclesiástico, o bispo Bengt, da paróquia de Rasbo, também recebeu semelhante aviso numa visão (JØRGENSEN, 1947, v. 1, p. 20).

A própria Santa, cujas faculdades de clarividência se engrandeceriam através de sua longa vida, teve sua primeira visão aos sete anos de idade. Diante de seu leito, viu, ataviada com brilhantes vestes, uma senhora que trazia em suas mãos uma coroa e lhe disse: "Vem aqui, Brígida". Atendida a solicitação, a entidade colocou na cabeça da menina a coroa espiritual, de tal maneira que a pequenina Brígida sentiu apertar-se-lhe a fronte. Logo após, a visão desapareceu.

Esse fato também é narrado pelo padre Rohrbacher, no 17° volume de sua grande obra *Vidas dos santos* (1960, p. 407), que nos fala igualmente de *uma senhora de vestes resplandecentes, tendo na mão uma coroa e que lhe disse: 'Vem, Brígida'. Imediatamente a menina levantou-se [...] A senhora colocou-lhe a coroa na cabeça e ela a sentiu como se fosse um cinto.*

Assim se iniciou a portentosa mediunidade da grande vidente sueca, Santa Brígida de Vadstena.

Aos 11 anos, conta Jørgensen, teve sua primeira visão do próprio Cristo. Ouvira um sermão do irmão Algot sobre a Paixão do Senhor e à noite meditava sincera e comovidamente sobre os padecimentos do nosso divino Amigo. Ajoelhou-se no seu quarto, diante do crucifixo. Repentinamente, pareceu-lhe que a pequena imagem se engrandecia, tornando-se verdadeira, viva (*Esso diventava cosi grande, cosi vero, cose vivente*). Contemplou a pequena vidente, vendo-o distintamente, os rubros vestígios das flagelações e as gotas de sangue que desciam de sua coroa de espinhos... Possivelmente sem entender o insólito acontecimento, encheu-se de aflição e de compaixão: "Ó meu querido Senhor, quem vos reduziu a esse estado?". Então, o crucifixo abriu os lábios violáceos e frios e, com lamentosa inflexão de voz, respondeu: "todos aqueles que me esquecem e desprezam meu amor" (JØRGENSEN, 1947, v. 1, p. 33).

Rohrbacher (1960, p. 408) também registra, em sua obra acima citada, o mesmo acontecimento.

Casada com Ulf Gudmarsson, Brígida foi mãe de oito filhos. Por ocasião do oitavo parto, Brígida, que era de pequena estatura e muito franzina, padeceu tantas dores e passou tão mal que ninguém esperava que sobrevivesse. Muitas amigas velavam por ela. Eis que, repentinamente, as pessoas presentes viram "uma *figura humana* [assim se expressa Jørgensen] de vestes brilhantes entrar apressadamente, aproximou-se do seu leito e examinar-lhe o corpo". E logo após sair a entidade espiritual, Brígida deu à luz uma filhinha, "sem o menor sofrimento", ante as amigas imensamente maravilhadas. Anos mais tarde, ao contemplar mais uma vez o Espírito de Maria, mãe de Jesus, esta lhe revela: "Quando estavas em perigo de vida, entre as dores do parto, eu me aproximei de ti e te ajudei ". Ante a aparição de Maria, por ocasião do nascimento de Cecília (assim se chamou a menina), a clarividência não foi exclusiva de Brígida, mas todas as suas amigas presentes puderam contemplar o espírito da Senhora de Vestes Brilhantes

Muitas outras vezes a Mãe Santíssima apareceu a Brígida, instruindo-a e socorrendo-a espiritualmente, a dizer-lhe: "Não temas, minha filha!" (JØRGENSEN, 1947, v. 2, p. 6).

Era multiforme a clarividência de Santa Brígida. Via não somente luminosos Espíritos como igualmente Espíritos familiares, qual seu próprio esposo Ulf, e ainda Espíritos inferiores e terríveis obsessores. Contemplou, em visão a distância, quadros impressionantes de regiões purgatoriais do Invisível, no seio das quais identificou conhecidos seus e altas autoridades eclesiásticas da Corte Papal de Avignon, inclusive o próprio pontífice, Clemente VI.

Na impossibilidade de citar todo o acervo de fatos mediúnicos que se confunde com a própria biografia de Brígida de Vadstena, vamos apresentar mais alguns casos notáveis de sua excepcional clarividência.

Durante uma de suas peregrinações, após ler uma das cartas de São Bernardo *ad sororem*,[17] no repouso de seu quarto em Arras, na França, a luz do candelabro lentamente foi se apagando. Fumegava ainda o morrão, no aposento quase escuro, quando repentinamente uma grande luz enche o quarto. No meio de luminosidade espiritual, Brígida distingue uma *figura humana (In mezzo ad essa scorge una figura umana)*. Vem a saber que se trata de São Dionísio, aquele mesmo Dionísio Areopagita, magistrado ateniense convertido pela instrumentalidade de Paulo de Tarso, bispo de Paris e mártir sob Diocleciano. Quatro anos mais tarde, na Suécia, novamente Brígida contempla o mesmo Espírito de Dionísio Areopagira, numa visão em que

---
[17] N.E.: Às irmãs.

seu velho amigo de Arras solicita a Maria Santíssima: "Tem piedade da tua e da minha França!" (Atos, 17:33; JØRGENSEN, 1947, v. 2, p. 104-105 e 171).

Brígida não era apenas uma vidente de grandes Espíritos, de santos da Igreja. Sua mediunidade era bem semelhante à que conhecemos pela Doutrina e pela prática espírita. Assim é que, numa noite, conta seu biógrafo (JØRGENSEN, 1947, v. 1, p. 117), estava ela sentada junto à lareira em Ulvåsa, na Suécia. Era inverno, o rigoroso inverno nórdico. Lá fora, os lobos uivavam. O fogo crepitava e Brígida contemplava o jogo das chamas. Repentinamente, no meio do esplendor das labaredas, outra luz, ou outro fogo, diferente, espiritual, confunde-se com as chamas da lareira, e Brígida percebe a diferença. E naquela diferente claridade, "ESTAVA, SIM, UMA FORMA HUMANA, UM HOMEM, ULF!" (*c'era, si, una forma umana, un uomo, Ulf!*). "Voltara ele, assim, mais uma vez a Ulvåsa para saudá-la! Ela o chama pelo nome e pergunta: 'Como vais?'" — escreve o hagiógrafo sueco. O Espírito do marido de Brígida, Ulf Gudmarsson, voltara das regiões de sofrimento do Além-Túmulo, do chamado Purgatório (pela Igreja Católica), que denominamos Umbral (XAVIER, 1981, cap. 12; CUNHA, 1983, cap. IV e desenhos), para falar-lhe os motivos de seus sofrimentos no Além, mas sem pessimismos destruidores: "A sentença para mim foi severa, mas agora já se aproxima a misericórdia".

Também visões de Espíritos inferiores fazem parte da multiforme experiência mediúnica de Santa Brígida. Apareceu-lhe várias vezes uma entidade espiritual de aspecto trevoso. Cria Brígida ser essa entidade que lhe inclinava a fome natural aos excessos da gula (*tal fame da lupo che essa giorno e notte non poteva pensare ad altro che a mangiare*). Nessas horas, muitas vezes, viu em seu aposento "um belíssimo rapazinho" — assim se expressa Jørgensen (1947) —, que trazia consigo um cálice dourado, e que se declarava seu anjo guardião e a defendia das investidas do "estrangeiro", isto é, do obsessor.

Também noutra visão de regiões inferiores do Invisível, pôde ela contemplar, por antecipação, o destino doloroso do papa Clemente VI e de vários príncipes da Igreja, seus companheiros da Corte Pontifícia de Avignon. Nessa visão, talvez simbólica, o papa é considerado, em seu julgamento, "igual a Lúcifer, mais injusto que Pilatos, mais cruel que Judas" e ouve a sentença do próprio Cristo: "Culpados!" (*Colpevoli!*) (JØRGENSEN, 1947, v. 1, p. 223-224).

Em Örebro, Brígida, assistindo à missa na Igreja local, teve uma visão sumamente desagradável. Quando o sacerdote aproximou-se do altar, ela percebeu que ele estava ladeado por duas entidades espirituais de ínfima categoria (*due diaboli invisibili...*). Ao recitar o padre o *Confiteor*,[18] um dos obsessores fala e Brígida ouve: "Mentira! Tu dizes que te arrependes de teus pecados, mas não é verdade! És um Judas, dizes uma coisa e pensas outra ". O sacerdote nada percebe: lê a Epístola, o Evangelho, entoa o *Sanctus*, sem sentir que os maus companheiros espirituais lhe dominam o espírito até a morte dolorosa e violenta que o espera (e talvez após ela). Esse eclesiástico de Örebro recusara as admoestações espirituais da Santa, que desejava ajudá-lo. Brígida ouviu uma voz do Alto a lamentar "os maus padres que se apegam ao mundo e neglicenciam a Cristo" (JØRGENSEN, 1947, v. 1, p. 178-179).

* * *

São inumeráveis as extraordinárias experiências espirituais de Santa Brígida de Vadstena. Sua mediunidade, realmente impressionante, situava-a em absoluta e comovedora intimidade com os elevados benfeitores espirituais que a assistiam em sua grande missão.

Já vimos que, desde a infância, profunda era sua devoção a Maria Santíssima. Na verdade, a Santa Mãe de nosso Mestre lhe apareceu várias

---

[18] N.E.: Fórmula de confissão geral e pública, sem caráter sacramental, que se recita no início da missa, repete-se antes da distribuição da comunhão e em outras funções litúrgicas, podendo ser recitada antes da confissão e em devoções privadas (*Houaiss*).

vezes e a auxiliou sempre, inclusive com maternais admoestações. Vejamos um exemplo dessa íntima comunhão familiar com o Invisível.

Brígida sempre foi uma criatura imensamente espiritualizada, com intensa vida espiritual. Dedicava-se às orações, segundo os costumes das ordens religiosas do seu tempo, durante os próprios trabalhos materiais, entremeados de jaculatórias, ações de graça e sentidas súplicas. Faz-nos ver seu biógrafo que tanto se estendia seu fervor na vida de oração *que era como se esquecesse de sua filha (era quasi como se Brigida si dimenticasse di su figlia).* E foi a própria Mãe de Jesus que, "em pessoa, teve que lhe lembrar a existência de Karin" (Catarina). Um dia, Brígida talvez se tivesse excedido em suas atitudes devocionais, quando suplicava: "Ajuda-me ó Mãe caríssima, a amar Teu Filho de modo perfeito. Sinto-me tão fraca e incapaz de amá-lo como deveria!". Aconteceu, então, o inverossímil. Brígida viu diante de si o Espírito de Maria de Nazaré e a santa Mãe de Jesus vem pessoalmente responder-lhe a súplica. Essa resposta, o biógrafo de Brígida considera "muito fria" (*molto fredda)*, mas, na verdade, traduz altíssima advertência e assim o sentiu a grande mística sueca, sendo tão válida para ela quanto para nós todos, ainda hoje. O espírito da Mãe Santíssima lhe respondeu às sentidas orações com estas palavras repreensivas: "Pensa antes em costurar o vestido de tua filha; ela não está usando uma saia de seda, mas uma roupa de lã grosseira, já por demais velha e remendada " (JØRGENSEN, 1947, v. 2, p. 65; *Extrav.* 69).

A admoestação maternal de Maria é uma luminosa síntese doutrinária do Espiritismo. Sem desprezar de modo algum as excelências da oração ou da comunhão espiritual com o plano superior, nossa Doutrina libertadora aponta o espírito de serviço, uma vida ativa em benefício do próximo e a caridade pura como principais objetivos de uma vida verdadeiramente religiosa, reais alicerces de legítima ascese da alma.

Outro fato, também impressionante, revelando a doce intimidade entre dois mundos por meio da mediunidade com Jesus, é também relatado por Jørgensen. Constitui um elo entre a grande médium católica do século XIV e os dignos médiuns espíritas da atualidade. É o que retrata a profunda, a humaníssima intimidade entre Brígida, nas suas lutas diárias em Roma, onde viveu alguns anos, e o Espírito de Santa Inês, jovem mártir cristã do início do quarto século, que foi decapitada em Roma no dia 22 de janeiro de 304 (JØRGENSEN, 1947, v. 2, p. 41; RAYNAL, 1946, p. 70[19]).

Jørgensen chega a dizer que, entre os santos romanos, Santa Inês foi o Espírito com que Brígida mais depressa estabeleceu verdadeira familiaridade. Brígida, em Roma, sentindo a necessidade do conhecimento da língua latina, pôs-se a estudá-la com o *magister* Petrus, um frade, seu compatriota e benfeitor. Não encontrava, entretanto, muitas facilidades na aprendizagem de um idioma tão diferente do seu: graus dos adjetivos, desinências, verbos ativos e passivos Foi, então, que teve ao seu lado o espírito da jovenzinha romana, a mártir Inês, que lhe ensinava gramática latina e, com tal eficiência que, em breve, não só a mística sueca compreendia suficientemente o latim como conseguiu falá-lo. Disso foi testemunha o próprio mestre de Brígida, Petrus Olai, e ainda uma nobre romana, Golizia Orsini, testemunha no processo de canonização, em 1379.[20]

Os médiuns espíritas de nossos dias têm experiências semelhantes. Sabemos que o médium Francisco Candido Xavier, em sua longa carreira mediúnica de mais de cinquenta anos de consagração ao trabalho do bem e da luz, tem encontrado em devotados benfeitores espirituais outros mestres, à semelhança do Espírito de Inês, que lhe ensinaram muitas regras da gramática portuguesa. Relatou-nos o querido amigo que o espírito de um jovem irlandês, Bob Hunter, tem lhe ensinado a escrever, de modo

---

[19] Nota do autor: "[...] alors qu'elle n'avait encore que 13 ans".
[20] "S. Agnese insegnava alla detta Fru Brigida la grammatica latina, e la aiutava cosi bene, che ella parlava la lingua pressochè senza errori, ed era in grado di tenere lunghi discorsi in latino" (COLLIJN, 1931, p. 456 e 445 apud JØRGENSEN, 1947, v. 2, p. 41).

singular, em língua inglesa. E desse testemunho admirável temos uma carta do Chico, acompanhada de uma encantadora canção infantil da velha Irlanda, tudo em corretíssimo inglês.

Expressivas estas palavras do hagiógrafo Jørgensen (1947, v. 1, p. 166):

> *Dizia-se, além disso, de Brígida, que ela havia recebido o dom de ver o que há no mundo de Além-Túmulo (il dono di vedere nel mondo che è al di là della tomba). Pessoas piedosas se chegavam a ela para falar-lhe de seus mortos queridos e lhe solicitavam, trêmulas: "Estão eles condenados? Sofrem as chamas purificadoras do purgatório? Terão atingido as margens da vida eterna?".*

Continua o biógrafo da Santa:

> *Brígida anotava os nomes dos mortos e orava por eles: e durante a oração ela recebia do Alto a resposta e podia depois dizer onde se achavam aquelas almas, que penas deviam suportar, ou o que era necessário fazer para aliviar seus tormentos com orações ou esmolas.*

Como vemos, pelo testemunho insuspeito de Jørgensen, Santa Brígida era extraordinária médium clarividente. E à clarividência nela se unia uma faculdade gêmea, a clariaudiência.[21]

Através de suas faculdades amplamente desenvolvidas, penetrava ela os reinos do Além-Túmulo, à semelhança dos médiuns espíritas, quais Mme. d'Esperance, Stainton Moses, Francisco Cândido Xavier, Yvonne Pereira e tantos outros. Até no seu costume de anotar os nomes dos

---

[21] Nota do autor: Em geral, a clarividência é acompanhada de uma faculdade gêmea, a clariaudiência. Charles W. Leadbeater, em sua interessante obra *A clarividência*, observa sabiamente o fato, dizendo: "Para os fins deste tratado, poderemos, talvez, defini-la [a clarividência] como sendo o poder de ver o que está oculto à visão física normal. Será bom explicar, também, que ela é frequentemente (se bem que nem sempre) acompanhada por aquilo que se chama *clariaudição*, ou seja, o poder de ouvir aquilo que o ouvido físico normal não pode abranger: tornaremos o termo, que constitui o título deste livro, extensivo também a esta faculdade, para que evitemos estar constantemente a empregar duas palavras onde só uma é suficiente" (LEADBEATER, 1951, tradução de Fernando Pessoa).

desencarnados, orar por eles e receber notícias de seu estado espiritual, seus procedimentos e processos se assemelham aos que conhecemos todos nós, em contato com os médiuns espiritistas que bem cumprem seus deveres de assistência aos sofredores deste mundo e do outro.[22]

2.4 Santa Margarida Maria Alacoque

Ampla faculdade de clarividência possuiu santa Margarida Maria Alacoque, a vidente de Paray-le-Monial.

O padre Jean Croiset (1950, p. 8), em seu *Compêndio*, diz que Margarida Maria desde a infância via os espíritos de Jesus e de Maria Santíssima, havendo sido por gratidão à santa Mãe do Senhor, que a curara de uma paralisia, que acrescentou o nome de Maria ao seu nome de batismo — Margarida Alacoque.

Suas visões ela mesma descreve amplamente em sua autobiografia (ALACOQUE, 1936): "Minha Mãe Santíssima me disse amorosamente, para me consolar: 'Não temas coisa alguma; hás de ser minha verdadeira filha, e eu hei de ser sempre tua boa Mãe'".

Interessante é notar, na vida de Santa Margarida Alacoque, como nas de outros vultos da fé cristã, que os benfeitores espirituais muitas vezes os repreendiam ou limitavam suas práticas de penitência. A vidente de Paray o confessa:

---

[22] Nota de Hércio M. Arantes: "[Palavras de Chico Xavier:] os Espíritos Amigos se referem, por exemplo, a suas personalidades do mundo católico que deveriam ser mais conhecidas em nosso ambiente cultural. [...] Eles se referem a Santa Brígida, da Suécia, e a Santa Clara de Montefalco, da Itália, cujas biografias atestam a presença de mediunidades extraordinárias, a ponto, diz Emmanuel, que Santa Brígida deixou muitas páginas, vamos dizer, do ponto de vista de autenticidade absolutamente psicográfica. A vida dessas duas grandes figuras da Igreja Católica, que eu venero tanto, ao que me parece, pela palavra dos nossos amigos espirituais, foram duas criaturas portadoras de mensagens especiais para os cristãos" (XAVIER, Francisco Cândido. *Chico Xavier no Pinga-Fogo*. São Paulo: Edicel, 1971, p. 41-42).

Foto: Santa Margarida Maria Alacoque (1647–1690)

Tela representando a aparição de Jesus a Santa Margarida Maria Alacoque no jardim do Mosteiro da Visitação, em Paray-le-Monial, França.

> *E estando para fazer assim [alargar as licenças para as penitências], meu santo Fundador[23] me repreendeu tão fortemente, sem me deixar passar adiante, que nunca mais tive ânimo para voltar a pensar nisso, porque me ficaram gravadas para sempre no coração estas suas palavras: "Como, filha minha, pensas que podes agradar a Deus, ultrapassando os limites da obediência, que é o principal sustentáculo e fundamento desta Congregação, e não as austeridades?".*

Também o padre André Beltrami (1945, p. 54), em sua biografia da Santa, diz que "São Francisco de Sales teve que intervir do Céu para moderar o ardor da jovem postulante".

No final de sua autobiografia (cap. 106, p. 131), refere-se Santa Margarida Maria aos favores que lhe dispensavam, em suas aparições, não só Jesus e Maria, mas ainda seu anjo da guarda e "o meu bem-aventurado padre São Francisco de Sales".

Não somente Espíritos luminosos eram percebidos pela clarividência de Santa Margarida Maria. O círculo de sua notável percepção alcançava também Espíritos infelizes e malfeitores desencarnados, unindo-se a uma nítida clariaudiência.

Um deles lhe apareceu com medonha expressão, qual descreve em sua autobiografia:

> *com os olhos a faiscar como dois tições, e a ranger os dentes contra mim, disse: "Maldita sejas tu; eu te apanharei no laço; e se alguma vez te puder ter em meu poder, eu te farei sentir bem tudo o que sei fazer; por toda a parte te hei de fazer mal". E, ainda que me ameaçasse outras vezes, não me atemorizava nada, tão fortalecida me sentia dentro de mim (ALACOQUE, 1936, p. 87).*

---

[23] Nota do autor: Refere-se ao Espírito de São Francisco de Sales, que lhe apareceu cerca de 50 anos após sua desencarnação (22 de dezembro de 1622).

Entidades malignas perturbavam-na tremendamente — ela mesmo o relata — nos seus serviços de enfermaria. Escarneciam dela. Um deles "ria-se-me na cara, dizendo: 'Ó zorra, nunca hás de fazer nada com jeito!'". E ainda:

> Uma vez empurrou-me do alto de umas escadas com uma braseira cheia, e encontrei-me no fundo sem a entornar e sem dano algum em mim. As que viram, pensaram que tinha quebrado as pernas; mas senti que o meu fiel anjo da guarda me acudiu; porque eu tinha a dita frequente de gozar de sua presença, e de ser frequentemente repreendida e corrigida por ele (ALACOQUE, 1936, p. 88).

Tão frequentes eram os fenômenos mediúnicos na vida de Santa Margarida Maria que suas companheiras do Convento de Paray "cuidavam — diz a própria vidente — que eu estava possessa do demônio" (ALACOQUE, 1936, p. 98). E essa impressão se acentuava porque Margarida vivia constantemente enferma, como declara:

> E, como as minhas doenças eram tão contínuas, que não me deixaram quatro dias seguidos de saúde, uma vez, estando eu muito doente, de modo que quase não ouviam o que eu dizia, veio a nossa madre de manhã[24] e deu-me um bilhete, dizendo-me que fizesse o que ali se dizia; e era que necessitava de se certificar se tudo o que em mim passava era do Espírito de Deus; que, se assim era, me desse o Senhor cinco meses de perfeita saúde, sem precisar de alívio algum durante esse tempo. Porém que se, pelo contrário, era aquilo espírito do demônio ou coisa da natureza, eu continuaria nas mesmas indisposições. É impossível dizer o quanto este bilhete me fez sofrer; tanto mais que, já antes de o ter, me fora manifesto o seu conteúdo. [...] Apresentei, pois, aquele bilhete ao meu Senhor, que não ignorava o que ele continha; e respondeu-me: "Asseguro-te, minha filha, que, para prova do bom Espírito que te rege, de bom grado lhe

---

[24] Nota do autor: 21 de dezembro de 1682, no texto. Trata-se da Madre Greyfié.

daria tantos anos de saúde, quantos os meses que pediu, e todas as mais provas que me tivesse pedido". E, no momento preciso da elevação do Santíssimo, senti muito sensivelmente que me tiravam todas as minhas doenças, como se me tirassem um vestido e o deixassem dependurado; e encontrei-me com as forças e a saúde de uma pessoa que há muito não tivesse estado doente, e assim passei o tempo que se tinha pedido,[25] recaindo depois nas indisposições de antes (ALACOQUE, 1936, p. 129-130).

Como vemos, a realidade da comunhão espiritual entre o mundo físico e o mundo espiritual se patenteou, de maneira irrecusável, frenteando e vencendo todas as dúvidas, objeções e ceticismos. Esta é a certeza que oferece o Espiritismo Cristão, nos nossos dias, a todos aqueles que queiram estudar, conscienciosa e desapaixonadamente, as ciências da alma.

Outro caso interessante é narrado pela própria Santa Margarida Alacoque, também em sua autobiografia (ALACOQUE, 1936, p. 121-122): estando a orar, na capela do mosteiro, "apareceu-me, de repente, uma PESSOA, TODA EM FOGO, cujos ardores me penetraram tão fortemente que me parecia arder com ela". Margarida não pôde furtar-se às lágrimas diante do estado do infeliz Espírito, que se identificou logo, humildemente. "Disse-me que era aquele religioso beneditino que me tinha ouvido de confissão". Relatou à vidente as razões de suas duras penas nas regiões inferiores do Invisível: "a primeira, o ter preferido o próprio interesse à glória de Deus com o demasiado apego à reputação; a segunda, era a falta de caridade com seus irmãos; e a terceira, a demasiada afeição material que tinha às criaturas...". Pediu o auxílio espiritual a Margarida Maria. Durante três meses a vidente o viu, "porque não se apartava de mim". Margarida sofre o reflexo dos padecimentos espirituais da entidade infeliz: "... parecia-me que estava também a arder, e com tão vivas dores, que me faziam gemer e chorar

---

[25] Nota do autor: Quer dizer, até 21 de dezembro de 1683, porque no fim dos cinco meses, a Madre Greyfié tinha mandado à serva de Deus que pedisse a continuação da saúde até completar um ano desde a primeira obediência. (Rodapé da p. 130).

continuamente." No final do terceiro mês, diz a monja, "via-o já, de bem diferente maneira, de ir inundado de alegria e glória..." A intercessora também teve os seus sofrimentos dissipados completamente. A Doutrina Espírita oferece luminosas e lógicas explicações para esses casos complexos.

Ainda sobre a clarividência de Santa Margarida Maria Alacoque, diz seu biógrafo padre Bougaud, vigário-geral de Orleans:

> *O seu olhar chegava a transpor horizontes mais vastos. "Julgais então", dizia ela sorrindo a uma senhora que lhe pedia notícias de seus parentes defuntos, "que eu sei o que se passa no purgatório?" Mas os fatos desmentiam as suas palavras, e ninguém se lembraria de perguntar-lhe tais cousas, se revelações preciosas e brilhantes não houvessem mostrado em diversas ocasiões o dom de profecia de que era honrada (BOUGAUD, 1926, p. 318).*

2.5 A mediunidade de Santa Clara de Montefalco

À semelhança do que acontece com médiuns espíritas merecedores de confiança, Clara de Montefalco também teve conhecimento, várias vezes, da situação espiritual de pessoas desencarnadas.

Diz o seu biógrafo, textualmente: "Agradou-se ainda Deus de revelar à sua diletíssima serva o estado de muitas almas traspassadas desta para a outra vida". Entre os exemplos vários citados, contados, conta-se o caso de um senhor, Mascio de Poggio, que recorreu à Beata Joana para consultá-la sobre uma dúvida, isto é, se era obrigado a executar o testamento de sua falecida esposa. Antes de dar-lhe resposta, Joana pediu à sua irmã Clara que orasse no sentido de obter uma resposta espiritual. Enquanto Clara orava, "numa visão, apareceu-lhe a defunta envolta em chamas, implorando sufrágios e a satisfação dos seus pios legados" (*le apparve in visione la defonta cinta di fiamme, implorando suffragi, e la soddisfazione dei suoi pii legati*) (TARDY, 1881, p. 163).

Clara teve conhecimento do estado de sua irmã Joana três dias após sua morte. O espírito de uma freira, a irmã Andriola, apareceu-lhe também, agradecendo-lhe os cuidados e as orações carinhosas que Clara lhe dedicara. O espírito de um antigo perseguidor do mosteiro, chamado Pucciarello, igualmente lhe apareceu, implorando-lhe auxílios espirituais de suas preces.

Certa vez, Clara teve a visão espiritual de uma alma em terrível situação espiritual. Tratava-se de Cetto, da cidade de Spoleto. Clara se apressou a pedir às suas irmãs do mosteiro orações em favor dessa entidade desencarnada. Ninguém, entretanto, sabia da morte de Cetto, notícia que só chegou ao mosteiro no dia seguinte ao da visão (*Non si seppe, se non che il di seguente che Cetto era morto; e la Beata si affettò a raccomandarlo alle orazioni delle sue monache*) (TARDY, 1881, p. 163).

Nos capítulos das sextas-feiras, Clara, muitas vezes, teve conhecimento do estado espiritual de várias pessoas, inclusive freiras e benfeitores do convento que desencarnavam. Anunciava suas visões às irmãs e pedia-lhes as orações em favor dessas almas.

Como estamos vendo, são fatos familiares aos estudiosos e praticantes do legítimo Espiritismo.

Através do médium Francisco Cândido Xavier, para citar um exemplo respeitável, um número incalculável de pessoas têm recebido notícias de parentes, amigos e benfeitores do Além. O médium Xavier, à semelhança de Clara de Montefalco, tem recebido, com os mesmos motivos de utilidade espiritual, notícias de habitantes do Mundo Maior. Seria literalmente impossível citar essa avolumada casuística.

Através da mediunidade de Francisco Cândido Xavier, tenho, como centenas e centenas de outras pessoas, obtido notícias de amigos e benfeitores desencarnados. O próprio médium, no início de sua missão espiritual, teve inúmeras visões de sua bondosa progenitora (de quem chegou a receber psicograficamente, mais tarde, um livro,

Cartas de uma morta), além de outras entidades espirituais que, desde o início de sua tarefa, o assistem. E, como Francisco Cândido Xavier, tiveram visões do Além, traduzindo situações espirituais de seus habitantes, outros médiuns igualmente famosos: Dunglas Home, Slade, Madame d'Esperance, Eusapia Paladino, Stainton Moses... Depoimentos admiráveis sobre essa realidade se encontram nos volumes especializados de Ernesto Bozzano, Cesare di Vesme, Flammarion, Delanne e muitos outros.

* * *

Quando Clara de Montefalco andava pelos seus sete anos, um dia, imersa na oração, teve a visão de uma senhora ricamente vestida, acompanhada de uma criança de celeste beleza. Era a Rainha dos Céus e Sua divina Criança (*le apparve una matrona riccamente vestita tenendo per mano un fanciullo di celeste bellezza... Era quela la Regina del Cielo; era questi il suo divin Pargoletto*) (TARDY, 1881, p. 29).

2.5.1 Visões da paixão de Cristo

Clara tinha visões da Paixão de Cristo. Chegou a ver

toda a série do dolorosíssimo espetáculo da santa ceia até a sepultura; viu o sanguíneo suor que banhou o Getsêmani, viu o pérfido beijo e a indigna prisão; ouviu as sacrílegas vozes e os tumultos das praças, dos tribunais e do Calvário; viu o abandono dos discípulos e os escárnios dos soldados e do povo [...]; viu os flagelos, os espinhos, os cravos, crudelíssima crucificação e as aflições de Maria; ouviu as amorosíssimas palavras de Jesus no horto, nos tribunais, sob a cruz e no Calvário [...] (TARDY, 1881, p. 36).

2.5.2 Aparições

Um oblato[26] do mosteiro do Convento de Santa Cruz, chamado Mascio, tendo sido enviado — conta o padre Lorenzo Tardy (1881, p. 178) — por Clara a Gubbio, surpreendido por violenta tempestade, extraviou-se e se achou, chegada a noite, perdido num bosque. Homem de fé, confiava nas virtudes de Clara e, naquela situação, a ela volveu seu espírito, rogando-lhe pelo pensamento que o socorresse. Eis que, em resposta, teve a visão de um menino de angélico aspecto que o guiou para o verdadeiro caminho, desaparecendo em seguida.

* * *

Por ocasião da desencarnação de Clara de Montefalco (também chamada Santa Clara da Cruz) a 17 de agosto de 1308, várias visões espirituais foram registradas.

Relata o biógrafo Lorenzo Tardy (1881, p. 193):

Uma freira chamada Bartoluccia, nas vizinhanças de Spoleto, na hora exata em que a Santa deixou o mundo, viu Maria Santíssima, com um séquito de muitos espíritos celestes [sic], indo ao encontro da alma de Clara para incorporá-la ao seu cortejo e escoltá-la ao paraíso.

Vários outros testemunhos ainda relata o mesmo biógrafo e que aqui vão resumidos:

Outra religiosa, esta abadessa, também de Spoleto, chamada Irmã Paula, também teve uma visão de um Espírito envolto em grande luz nos ares, tendo ouvido, ao mesmo tempo, uma voz que lhe disse: "Esta é Clara da Cruz que neste momento se encaminha para a vida eterna".

---

[26] N.E.: Leigo que se oferece para servir em uma ordem religiosa (*Houaiss*).

Também outra religiosa, abadessa em Perusa, grande admiradora e amiga de Clara, estando a orar em companhia de suas irmãs, repentinamente, viu uma grande luz, que a pôs atônita. Também lhe foi revelado, no momento, que Clara havia ascendido aos céus e que aquela luz era o símbolo de sua glória. E não teve dúvida em declarar às religiosas, em face da visão: "Irmãs, alegremo-nos no Senhor, porque nossa Clara de Montefalco acaba de passar à glória do paraíso".

Fato semelhante ainda se deu com uma benquista religiosa de Colfiorito, a Irmã Beatriz d'Ugolino.

Relata ainda o padre Tardy (1881, p. 194) que a própria Clara, após sua morte, apareceu a diversos de seus devotos ([...] *senza parlar d'altre consimili visioni, e d'alcune apparizioni della sessa Santa fatte a parecchi de' suoi divoti*).

2.5.3 Leitura de pensamento

O Abade de Santo Erasmo, das cercanias de Cesi, tinha dúvidas acerca do espírito profético, já divulgado, de Clara. Resolveu ir até Montefalco para certificar-se dos fatos anunciados.

Chegado ao Monastério e chamada a Abadessa, após breve saudação, anunciou-se como Abade de São Juliano.

Responde-lhe, então, a Santa: "Não sois o Abade de São Juliano, mas, da Abadia dos filhos do senhor Ruggiero". Eram estes, de fato, os fundadores da Abadia de São Erasmo. E Clara, então, passou a manifestar ao abade inúmeros particulares de sua vida. A precisão das revelações pôs o abade atônito. Ao partir, o superior de Santo Erasmo pediu a Clara que lhe desse uma recordação salutar. Disse, então, a Santa: "Abandonai aquele pecado ao qual já estais habituado; se não o fizerdes, Deus vos punirá". Tratava-se de um pecado oculto, mas, à Clara, o abade não pôde negá-lo. Confessou-o sinceramente e, com os mais vivos propósitos de emenda, partiu de Montefalco (TARDY, 1881, p. 161).

Clara tinha um irmão chamado Francisco, que também era frade num convento distante de Montefalco. Vítima de falsas acusações, Francisco foi encarcerado pelo seu superior por três dias. Não obstante a distância que separava os dois irmãos, Clara disse às suas monjas o que se passava com Francisco, fornecendo-lhes pormenores do que ocorria no convento distante.

2.5.4 Êxtases

Os êxtases de Clara de Montefalco eram, muitas vezes, de longa duração. Duravam, algumas vezes, uma hora ou duas, mas outras vezes se prolongavam por dias e meses, "com a única exceção das poucas horas indispensáveis a cumprimento de deveres externos". Nestes últimos casos, sua fisionomia era invadida por palidez mortal, mas ordinariamente se mostrava jubilosa e resplandescente, causando profunda impressão. Certa vez, pelo Natal, durante bastante tempo um êxtase seu, suas irmãs, temendo que Clara morresse, pensaram poder despertá-la, cortando-lhe os cabelos. Uma delas, Mattiola, ao tosar-lhe a cabeleira, fez-lhe um corte na orelha. Clara, porém, foi insensível ao corte (TARDY, 1881, p. 170).

Margarida de Carcassona teve vários encontros pessoais com Clara e atestou seus êxtases e afirmou ter contemplado sua fisionomia luminosa nesses momentos (TARDY, 1881, p. 170). Nos seus êxtases, pôde contemplar Espíritos irradiantes de luz e também outros em penosa situação no Invisível (*vide un'anima tratta all'inferno fra i più strepitosi urli de'demoni* [...]) (TARDY, 1881, p. 171).

Contemplou, nos seus êxtases, colônias espirituais como as descritas nos livros de André Luiz, psicografados por Francisco Cândido Xavier: "foi chamada a contemplar a glória dos bem-aventurados sob a semelhança de uma cidade, situada num monte elevado [...]"(TARDY, 1881, 191).

2.5.5 Aparições no momento da morte

Em seus últimos dias terrenos, jazia Clara de Montefalco em seu leito, no Convento de Santa Cruz, de que era Abadessa. Uma vez mais cai em êxtase. Depois de dirigir palavras de conforto e esclarecimento às suas irmãs, percebe Espíritos benfeitores junto ao seu leito de agonizante. Levanta os olhos e os braços ao Céu e declara: "Eis aqui Santo Agostinho; eis também São Francisco e outros santos do Paraíso que me estão chamando" (TARDY, 1881, p. 183). Também percebeu a presença, em sua cela, antes de morrer, de entidades espirituais inferiores de desagradável aparência (*nero aspetto*) (TARDY, 1881, p. 184).

2.6 Dom Bosco

Um dos mais notáveis fenômenos mediúnicos da vida de Dom João Bosco é o seu colóquio com o Espírito daquele que foi seu condiscípulo e íntimo amigo, uma nobilíssima alma, Luigi Comollo. O fato foi testemunhado pela mãe do Santo, D. Margarida Bosco. O que não se pode saber ao certo — pelo silêncio que em torno do singular fenômeno fez Dom Bosco — é que, se o acontecimento se limitou a simples clarividência, tão comum na vida do missionário italiano, ou se o Espírito de Luigi Comollo se materializou e pôde, assim, conversar mais intimamente com seu amigo terreno. Esta última hipótese é bem plausível. De qualquer modo, entretanto, o fenômeno é extraordinário e quem o descreve é o ilustre padre Augustin Fernand Auffray (1947), no seu célebre *Un grand éducateur: Saint Jean Bosco* (1815–1888), obra premiada pela Academia Francesa.

Seu melhor biógrafo cita esse caso após relatar o fato extraordinário da manifestação do Espírito de Comollo, entre assombrosos fenômenos físicos.

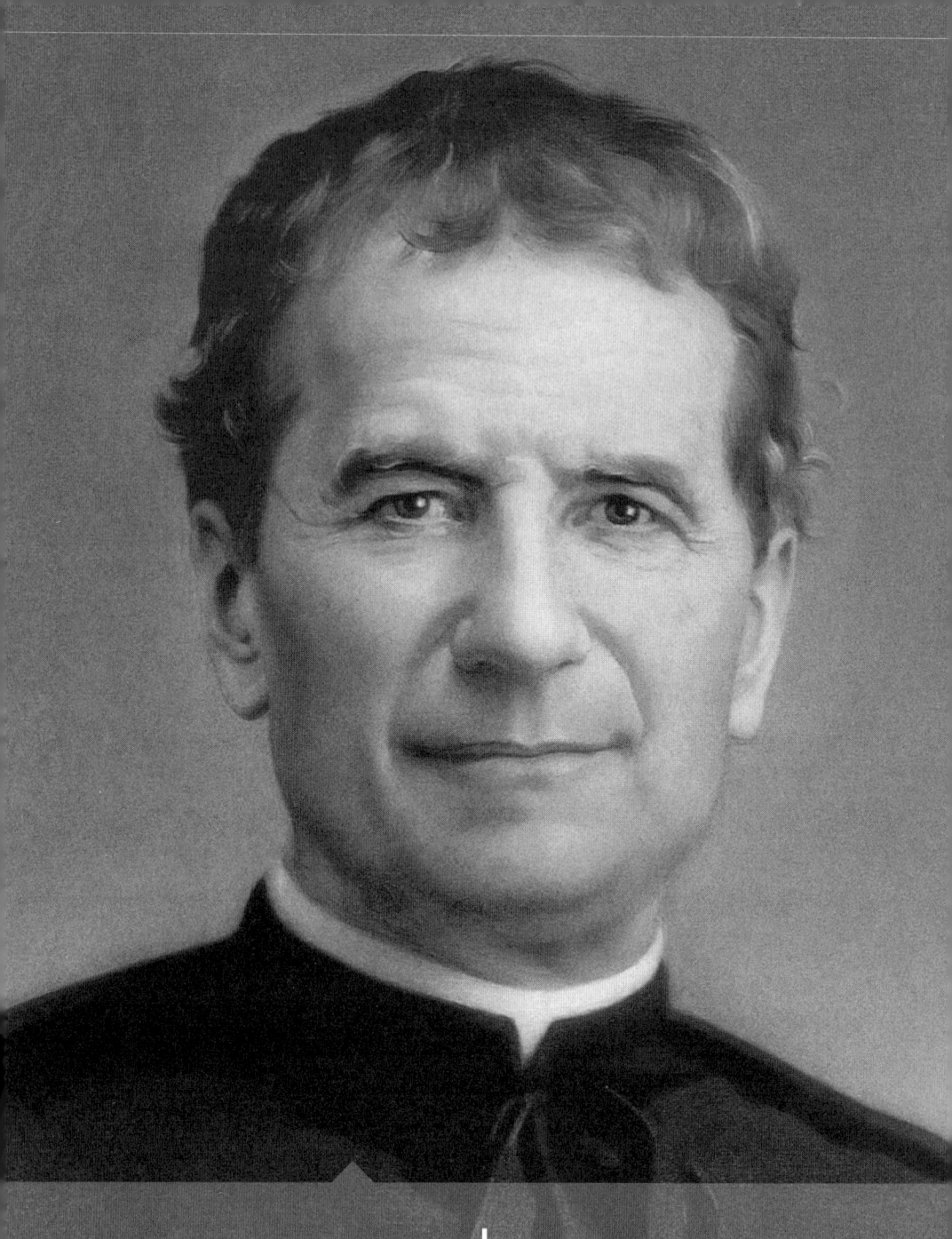

Foto: São João Bosco (Dom Bosco) (1815–1888) | Fotografia

Diz Auffray que o afeto de Dom Bosco por Comollo se prolongou além da morte. E a prova disso é o fato em questão, que ele assim descreve:

Numa noite de 1847, sua velha mãe ouvi-lo-á conversar demoradamente em seu quarto com um desconhecido [l'entendra converser longuement dans sa chambre avec un inconnu]:
— Com quem é que falavas esta noite? — perguntou-lhe ela na manhã seguinte.
— Com Luigi Comollo — respondeu ele simplesmente, guardando consigo os segredos do Alto que o amigo sempre fiel lhe viera revelar do Além-Túmulo [d'au delà de la tombe] (AUFFRAY, 1947, p. 71).

Que segredos foram esses? Dom Bosco nunca os revelou a ninguém. Para com a própria mãe, sua amiga e fiel confidente, guardou discreto silêncio. O fato é que o fenômeno da aparição ou materialização de Luigi Comollo foi testemunhado por Margarida Bosco, que percebeu o colóquio entre os dois amigos, que souberam e puderam romper as espessas barreiras da morte. O fato se assemelha, extraordinariamente, aos que se passam com Francisco Cândido Xavier e outros médiuns.

As várias biografias de Dom Bosco — de Auffray, de Crispolti, de Ghéon e outros — nos falam com muito entusiasmo sobre a grandeza espiritual de Margarida Bosco, a devotada mãezinha do santo.

Desencarnada em 1856, o venerando filho sempre se lembrava dela com viva saudade. Quatro anos depois — informa o padre Chiavarino (1960) — Dom Bosco viu-a "numa visão fugaz, mas consoladora: ela estava sorridente e ágil". Estabeleceu-se um diálogo entre os dois mundos. Margarida declara sentir-se feliz, "felicíssima", embora confesse haver passado por sofrimentos purgatoriais. Diz ao filho que se encontrou com os Espíritos de diversos discípulos de Bosco no Céu, "e citou diversos".

— E o que se goza lá em cima?

> *— Você pede-me o impossível, porque o que se goza lá nunca ninguém poderá dizer nem exprimi-lo.*
>
> *Repentinamente, cobriu-se de uma luz de inexplicável beleza e esplendor e desapareceu na harmonia de um canto de centenas de vozes angélicas, dizendo:*
>
> *— João, espero-o para ficarmos unidos para sempre (CHIAVARINO, 1960, p. 174-175).*

Nesse episódio, aliam-se os fenômenos da clarividência, clariaudiência e ainda o de "música transcendental", este último tão bem estudado pelo cientista Ernesto Bozzano, vulto do Espiritismo na Itália.[27]

2.7 São João Batista Maria Vianney, Cura d'Ars

Nasceu em 1786 e, desde os primeiros anos de vida, demonstrou fortes pendores à vida espiritual. Todos sempre reconheceram sua preparação para a vida sacerdotal, mas a deficiência intelectual quase foi obstáculo à sua ordenação. Após muitas discussões os superiores resolveram admiti-lo no sacerdócio. Indicaram-no, porém, para uma vila inexpressiva e onde praticamente não havia religião.

Com a presença marcante desse missionário, Ars transformou-se e seu povo igualmente converteu-se numa comunidade cristã.

Sabe-se que mais de 20 mil pessoas anualmente o procuravam a fim de encontrar perto dele a paz da alma e escutar sua palavra. Pois,

> *dotado de uma especial graça de visão, poucas palavras lhe bastavam para alcançar o ponto doloroso de cada uma daquelas consciências. O pároco permanecia, habitualmente, quinze horas por dia em seu confessionário (SCHAMONI, 1952, p. 298).*

---

[27] Nota de Hércio M. Arantes: Francisco Cândido Xavier recebeu belas e instrutivas mensagens do Espírito de Dom João Bosco, e o livro *Dicionário da alma* (FEB, 2. ed.) transcreve trechos dessas mensagens às páginas: 30, 140, 159, 225, 247, 259, 283, 316, 325, 350, 355 e 356.

Foto: São João Batista Maria Vianney, Cura d'Ars (1786–1859) | "Padroeiro de todos os párocos do mundo."

No seu apostolado há numerosas referências dos biógrafos à sua mediunidade clarividente. Diz Henri Ghéon numa linguagem quase espírita:

> *Das visões intelectuais de Vianney, dos esplendores obscuros de que ele desfrutou, desse despojamento total das formas imaginárias e sensíveis que é a característica da visão, só temos provas naqueles olhares que atravessavam as coisas, naquele sorriso iluminado, naqueles prantos alegres. Ele já não parecia deste mundo, parecia isolado dele como que por uma glória que usava no meio da multidão com emocionante humildade. Embora não sejam as principais, Deus não desdenha de dar a seus santos, consolações visíveis, premissas das alegrias de que gozarão no céu depois da ressurreição dos corpos. Durante a Missa, é possível que Vianney visse com seus próprios olhos o seu Senhor em carne e osso. Pelo menos foi por várias vezes surpreendido em conversações com a Virgem Santíssima e certas palavras involuntariamente surpreendidas nos deixam supor que a pequena igreja e o velho quarto do presbitério eram atravessados ininterruptamente por radiosas. Deus ali presidia a sua Corte.*
>
> *Em 1859 interrogava-o uma pessoa respeitável sobre a direção a ser dada a uma obra.*
>
> *— Custei um pouco a conhecer a vontade de Deus — explicou-lhe o santo. — Santa Filomena me apareceu, desceu do céu bela, luminosa, envolta em uma nuvem branca e me disse: "Tuas obras são boas, porque nada há de mais precioso que a salvação das almas"* (GHÉON, 1949, p. 137).

Conta também Ghéon uma curiosa situação em que o São João Batista Vianney conversava com um Espírito e foi visto por uma senhora que viu também a ilustre visitante espiritual:

> *Madame Durié, que esmolava para as obras de Vianney, desembarcava em Ars, na manhã de 8 de maio de 1840. Tendo uma grande soma para entregar ao*

Foto: São João Batista Maria Vianney, Cura d'Ars (1786–1859)

Uma estampa da época mostrando o Espírito de Santa Filomena, no alto, e Cura d'Ars, acamado.

santo homem, foi introduzida no presbitério por Catherine Lassagne. Subindo a escada, ela ouviu no quarto duas vozes; uma voz infinitamente doce dizia:

— Que quer você?

A outra, a do Cura, respondia:

— Ah! minha boa Mãe, eu peço a conversão dos pecadores, a consolação dos aflitos, o alívio dos doentes e em particular de uma pessoa que sofre há muito tempo, e que pede a morte ou a cura.

Tratava-se de Madame Durié.

— Ela ficará boa, mas mais tarde — diz a voz tão doce.

Madame Durié não se conteve e empurrou a porta.

Qual não foi a minha surpresa, escreve ela, vendo diante da chaminé uma senhora de estatura vulgar vestida com um vestido de extraordinária brancura, sobre o qual estavam semeadas rosas de ouro. [...] Sua testa estava envolta em uma coroa de estrelas, que tinham o brilho do sol; eu fiquei deslumbrada.

Quando pude pousar sobre ela meus olhares, eu a vi sorrir docemente.

— Minha boa Mãe, disse-lhe imediatamente, levai-me convosco para o Céu.

— Mais tarde.

— Ah! já é tempo, minha mãe.

— Você será sempre minha filha e eu sempre serei sua mãe.

Ao pronunciar essas palavras, ela desapareceu.

Madame Durié, quando voltou a si, viu o Cura "que tinha ficado de pé diante da mesa, as mãos juntas sobre o peito, a face resplandecente, o olhar imóvel". Ela temeu que ele tivesse morrido. Aproximou-se e puxou-o pela batina. Então disse o Cura:

— Meu Deus, sois Vós?

— Não meu pai, sou eu.

Vianney saiu de seu êxtase.

— Que viu o senhor? — perguntou-lhe ela.

— Uma senhora.

— Eu também. Quem é ela?

— Se a senhora contar o que viu, nunca mais porá os pés nesta casa.

— Posso dizer-lhe, meu pai, o que pensei. Pensei que era Nossa Senhora.

— E a senhora não se enganou.

E acrescentou espontaneamente:

— Com Virgem Santíssima e Santa Filomena, nos entendemos muito bem (GHÉON, 1949, p.138-139).

2.8 Outros santos clarividentes

Outros médiuns clarividentes foram:

O bem-aventurado Torello de Poppi, a quem um anjo aparece e lhe prediz o fim de seus dias terrenos.

* * *

São Cuteberto, nascido na ilha de Lindisfarne; desde sua juventude, detinha faculdades mediúnicas: guardava um rebanho na ilha quando, numa noite, enquanto orava, viu ascender ao Alto o Espírito de Santo Aidan. No dia seguinte, veio a saber da morte deste...

* * *

Santa Catarina de Gênova tem uma visão de Cristo, que lhe trouxe a "conversão do bem para o melhor" (ROHRBACHER, 1960, p. 210). Além de perceber a presença de seres angélicos, também esta santa teve visões terríficas, em que entidades malfazejas do Invisível a assediavam de maneira cruel (ROHRBACHER, 1960, p. 212).

* * *

O padre Joseph Husslein, S.J.,[28] relata vários casos de clarividência: Santa Gemma Galgani, num de seus êxtases, viu o Espírito de Maria Santíssima e seu anjo guardião (HUSSLEIN, 1951).

* * *

Husslein (1951, p. 73-74) assim descreve a clarividência de Santa Bernadette Soubirous:

> *[...] viu surgir uma nuvem dourada e, imediatamente depois, uma formosíssima senhora. A dama era jovem, tão jovem e bela como a primavera ou como as rosas amarelas que seus pés descalços pisavam levemente. Teria apenas (a dama) 16 ou 17 anos e estava de pé, sobre um roseiral silvestre, em aguda ponta da rocha, à direita da gruta de Massabielle. Seus olhos eram azuis e bondosos e seu cabelo estava coberto completamente por um véu branco.*

Mais tarde, a jovem vidente de Lourdes diria aos que negavam suas visões: "Eu lhes conto o que vi e ouvi, mas se preferem não acreditar, que mais posso fazer?" (HUSSLEIN, 1951, p. 85).

* * *

Sobre Santa Catarina de Siena, informa que, desde os 6 anos de idade, se iniciou sua visão espiritual. Nos céus de Siena, na direção da igreja dos dominicanos, tem sua primeira visão de Cristo, no esplendor de Sua glória celeste (HUSSLEIN, 1951, p. 92). Mais tarde, percebe a presença de outros Espíritos superiores, além do divino Mestre: "Sua dulcíssima Mãe, João, Pedro, Paulo e Maria Madalena" (HUSSLEIN, 1951, p. 98-99). Sua vidência

---

[28] N.E.: Abreviatura de *Societas Iesu* (Companhia de Jesus), que identifica os padres jesuítas.

Foto: Santa Bernadette de Lourdes, "A vidente de Lourdes" (1844–1979) | Fotografia da jovem pastora Bernadette Soubirous, aos 14 anos, na época de suas visões na gruta de Massabielle, perto da cidade de Lourdes, França.

Foto: Santa Catarina de Siena (1347–1380) | Afresco de Andréa Vanni, seu discípulo em Siena

não atingia tão só os grandes Espíritos. Um criminoso, Niccolo di Toldi, recolhido ao cárcere de Siena, converteu-se pela sua instrumentalidade. Embora sinceramente arrependido, não lhe foi revogada a pena de morte. Catarina, que o havia confortado muitas vezes na prisão, assistiu-o nos últimos instantes e recolheu sua cabeça das mãos do verdugo. Nesse instante, pôde contemplar o desprendimento do Espírito de Niccolo e — como diz o autor — "Catalina vió el alma de éste ascender al Cielo" (HUSSLEIN, 1951, p. 103-104).

* * *

De Santa Catarina Labouré, monja das "Filhas da Caridade", de Paris, Husslein relata inúmeras visões. A humilde camponesa de Fain-les-Moutiers, desde noviça, de tal modo se viu cercada de manifestações espirituais, que era conhecida por "a Vidente da Rua Du Bac", onde se localizava o Seminário da ordem a que pertencia (HUSSLEIN, 1951, p. 137).

* * *

Embora haja possíveis distorções na interpretação dos fatos mediúnicos ou dificuldades de filtragem das revelações transcendentais, por parte dos videntes ou dos relatores, o impossível é negar o fato em si, a realidade das aparições espirituais, a mediunidade, numa palavra.

A grande vidente norte-americana de nossos dias, Jeanne Dixon, que tantas profecias e revelações absolutamente exatas têm transmitido[29] refere-se a essas distorções de interpretação pessoal, embora não possam os fatos ser postos em dúvida, por serem realmente válidos, autênticos, tendo sempre posterior confirmação.

---

[29] Nota do autor: Vejam-se, pelo menos, *O dom da profecia*, de Ruth Montgomery, que relata as notáveis qualidades mediúnicas dessa grande médium *católica*, Jeanne Dixon; e, ainda, do professor Mozart Monteiro, o excelente volume *O livro das profecias* (editora O Cruzeiro, Rio de Janeiro).

* * *

Afirma textualmente Dom Alfonso Salvini, OSB,[30] biógrafo de Santo Antônio de Pádua:

> *No momento em que morreu, Antônio apareceu em visão ao Abade Gallo, em Vercelli. Saudou-o cortesmente e lhe disse: "Caro Abade, deixei o burrico em Pádua e agora vou para a minha pátria" (SALVINI, 1954, p. 184-185).*

Estupefato, o abade procurou retê-lo, mas não mais o encontrou. Só mais tarde "recebeu de Pádua a confirmação da morte de Antônio. E o Abade, comparando as datas, o dia e a hora, compreendeu que o santo amigo lhe aparecera no exato instante da sua morte" (SALVINI, 1954, p. 184-185).

O cientista e escritor italiano Ernesto Bozzano (1980), em seu livro *A crise da morte*, relata inúmeros casos de aparições no momento da desencarnação.

2.9 A aparição de Teresa de Lisieux relatada por Thomas Merton

Para Tristão de Athayde, renomado escritor católico brasileiro, Thomas Merton é o maior norte-americano dos nossos dias,[31] além de comparável, pela sua sabedoria espiritual, ao grande filósofo que foi Santo Agostinho:

> *Quando lemos [escreve Tristão] as páginas incomparáveis dos Thoughts in Solitude, esse extraordinário tratado sobre a meditação, com que o grande*

---

[30] N.E.: Sigla de *Ordo Sancti Benedicti* (Ordem de São Bento).
[31] Nota de Elias Barbosa: Texto redigido no início da década de 1960.

Foto: Santa Teresinha do Menino Jesus (De Lisieux) (2-1-1873 – 30-9-1897) | Fotografia datada de 7-6-1897

mestre do Silêncio e da Contemplação, Thomas Merton — a maior figura humana viva dos Estados Unidos [...].

E ainda:

[...] compreendemos os caminhos de Deus, trazendo esse jovem ateu do coleginho perdido nos Pirineus às mais altas montanhas da meditação e da sabedoria, de onde hoje ilumina o século XX, como Santo Agostinho iluminou o século IV!

Assim, pois, para quem não conhece o *Diário secular*, ou *Marta, Maria e Lázaro*, ou *Que são estas chagas?*, Tristão de Athayde apresenta, de maneira a não deixar dúvidas, o grande pensador católico dos nossos dias, o moderno Agostinho. Thomas Merton é, pois, personalidade insuspeita, cujos testemunhos devem, evidentemente, merecer respeito e credibilidade, tal a projeção de sua grandeza espiritual, reconhecida por todo o mundo católico contemporâneo. Merton é o famoso monge trapista, escritor e filósofo, da Abadia de Getsêmani, de Kentucky, Estados Unidos.

Foi em sua obra *Águas de Siloé (The Waters of Siloe)*, nas páginas do prólogo, que encontramos este interessante caso de clarividência, que passamos a transcrever:

Tarde da noite. A maior parte dos cafés de Paris cerrou suas portas, baixou seus postigos, trancando-se para o lado da rua. Luzes refletem-se brilhantemente nos passeios úmidos e vazios. Um táxi para para pegar um passageiro e parte de novo e a luz vermelha da traseira desaparece ao dobrar da esquina.
O homem que acaba de apear-se segue um empregado pela porta giratória até o vestíbulo de um dos maiores hotéis de Paris. Sua mala de mão pintalga-se de etiquetas com os nomes de hotéis de que existiam nas grandes cidades europeias antes da Segunda Guerra Mundial. Mas o homem não é um turista. Vê-se logo que é um homem de negócios e importante. Não é essa espécie de hotel

procurada por meros voyageurs de commerce. Um francês, evidentemente, e caminha através do vestíbulo como um homem acostumado a hospedar-se nos melhores hotéis. Para um instante, procurando no bolso algum dinheiro miúdo e o empregado vai à sua frente até o elevador.

Sente, de súbito, o viajante que alguém está olhando para ele. É uma mulher e, para espanto seu, traz hábito de monja.

Se conhecesse algo a respeito dos hábitos usados pelas diferentes ordens religiosas, reconheceria a capa branca e o burel castanho das Carmelitas Descalças. Mas como um homem na sua posição haveria de saber alguma coisa a respeito das Carmelitas Descalças? É demasiado importante e demasiado atarefado para se preocupar com monjas e ordens religiosas ou com igrejas a propósito, embora ocasionalmente vá à missa pro forma.[32]

O mais surpreendente, de tudo é que a freira está sorrindo e está sorrindo para ele. E uma jovem irmã, com um brilhante e inteligente rosto de francesa, cheio de candor duma criança, cheio de bom senso e seu sorriso é um sorriso de franca e indisfarçada amizade. Instintivamente leva o viajante a mão ao chapéu, depois torna a voltar-se e dirige-se apressado à gerência, garantindo a si mesmo que não conhece freira alguma. Ao assinar o registro, não pode deixar de lançar uma olhadela para trás. A freira já fora embora.

Largando a pena, pergunta ao empregado:

— Quem é essa freira que acaba de passar por aqui?

— Peço-lhe perdão, cavalheiro, mas que é que o senhor diz?

— Aquela freira quem é, afinal? Aquela que acaba de sair e sorriu para mim?

O empregado arqueia os supercílios.

— O senhor está enganado, cavalheiro. Uma freira, num hotel, a esta hora da noite! Freiras não andam vagando pela cidade e sorrindo para homens!

— Sei disso. E por isso mesmo gostaria que o senhor me explicasse o fato de haver uma aparecido e sorrido para mim agorinha mesmo, aqui neste vestíbulo.

O empregado encolhe os ombros.

---

[32] N.E.: Expressão latina que significa "por formalidade".

— *O senhor foi a única pessoa que entrou ou saiu nesta última meia hora.*

Não muito tempo depois, o viajante, que viu uma freira no hotel parisiense, não era mais um importante industrial francês e sabia de algo a respeito de hábitos religiosos. Na realidade usava um Tornara-se trapista[33] numa abadia do sul da França.

[...] O que se deve salientar nesta história é que ela é verdadeira. Aquele irmão leigo vive hoje na abadia de Aiguebelle e a razão de achar-se ali pode ser rastejada até o fato de haver entrado numa noite num hotel de Paris e ali haver visto uma freira sorrindo para ele, embora o empregado lhe afirmasse que nenhuma freira ali se achava.

Poucos dias depois vira um retrato da mesma freira na casa de uns amigos. Disseram-lhe que se chamava Santa Teresa do Menino Jesus (MERTON, 1957).

---

[33] N.E.: Nome de uma ordem religiosa — mais conhecida como Ordem dos Cistercienses Reformados de Estrita Observância —, ramificação benedIIna dos cistercienses, fundada em 1140 (*Houaiss*).

3 CLARIAUDIÊNCIA NA VIDA DE MUITOS SANTOS

> *Não te deixes levar pela reputação de quem escreve, nem indagues se é muito ou pouco letrado; mas, só o amor da pura verdade te mova a ler. Não queiras saber quem disse isso ou aquilo; presta antes atenção ao que foi dito. Deus nos fala de vários modos e sem acepção de pessoas.*
>
> (KEMPIS, Tomás de. *Imitação de Cristo*. Livro I, cap. V)

A clariaudiência é a percepção suprassensória de sons ou vozes que estão fora do alcance da acuidade auditiva fisiológica.

Pode ocorrer isoladamente ou, como é mais comum, acompanhado de clarividência.

Leadbeater (1951, p. 5-6), em sua interessante obra *A clarividência*, observa sabiamente o fato dizendo:

> *Será bom explicar também que ela [a clarividência] é frequentemente (se bem que não sempre) acompanhada por aquilo que se chama clariaudição: ou seja, o poder de ouvir aquilo que o ouvido físico normal não pode abranger.*

Foto: Santa Margarida Maria Alacoque (1647–1690)

Diz Pietro Ubaldi (1980, cap. 4) acerca das faculdades psíquicas acima referidas: "A fonte da grande corrente noúrica[34] é a mesma, não importando em que forma de vibrações sensoriais se materialize para ferir os sentidos".

Vamos conhecer aqui os casos de hagiografia em que exclusivamente se manifestou o fenômeno auditivo.

Já vimos que Santa Brígida de Vadstena, pelo testemunho de seu insuspeito biógrafo, Johannes Jørgensen, era notável médium clarividente. Narraremos aqui casos de sua poderosa mediunidade de clariaudiência.

Certa ocasião, em Roma, ouviu, "no íntimo da alma, a voz que ela tão bem conhecia, a doce e maternal voz de Maria": "Não temas, minha filha!", animando-a para sua missão na Itália. Igualmente a encoraja o Espírito de Santo Ambrósio, cujas palavras ela ouve, embora sem visualizar-lhe a presença espiritual. O antigo bispo de Milão fala-lhe de sua tarefa espiritual repartida entre terras estrangeiras e sua pátria, a Suécia (JØRGENSEN, 1947, v.2, p. 6).

Também o Espírito de Simão Pedro, o Apóstolo, fala-lhe, em Roma, sobre eventos futuros, fazendo comparações entre a Roma de seu tempo e a da época de Brígida.

Outro Espírito que também Brígida ouve, sem percepção clarividente, é o apóstolo Mateus, na cidade de Salerno, onde, segundo a tradição e possivelmente também provas históricas, o Evangelista teve sua última residência e desencarnou. Também ele fortalece o ânimo da missionária sueca, relatando-lhe, durante as orações de Brígida junto ao seu túmulo, episódios desconhecidos de sua vida e fazendo judiciosas observações a

---

[34] N.E.: *Noúrico* é um adjetivo referente às *noúres*, neologismo criado pelo filósofo italiano Pietro Ubaldi (1886–1972) para descrever as correntes espirituais, de pensamento, emitidas por forças invisíveis, por essências que um dia animaram seres humanos ou que nunca se incorporaram a organismos físicos, vivendo e agindo no infinito do tempo e do espaço e que influem, muito frequentemente, sobre a Terra (UBALDI, 1980).

respeito dos que preferem "antes disputar sobre o Evangelho do que vivê-lo" (JØRGENSEN, 1947, v.2, p. 140-141).

* * *

Também de clariaudiência, desacompanhada de visão espiritual, é o caso narrado por Santa Margarida Maria Alacoque em sua autobiografia: ao chegar ao convento de Paray, ouviu "interiormente estas palavras: 'É aqui que eu te quero'"(ALACOQUE, 1936, p. 50). O mesmo fato é narrado por Beltrami (1945, p. 48).

Mais interessante ainda é o caso de clariaudiência de Santa Catarina Labouré, narrado por Husslein em seu *Heroínas de Cristo*. Nesse caso é a própria entidade espiritual que declara a dicotomia fenomênica. Leiamos o depoimento do hagiógrafo:

> *Depois da terceira e última aparição, nossa Santa Mãe lhe falou interiormente: "Filha minha, — disse-lhe — de agora em diante não me tornarás a ver, mas escutarás minha voz em tuas meditações" (1951, p. 140).*

O que vem a significar clariaudiência sem clarividência, o que, como vimos, é menos frequente.

* * *

Também na extraordinária mediunidade de Santa Catarina de Siena, o mesmo acontece, embora fosse ela dotada de notável clarividência. Relata o mesmo autor:

> *Às vezes, escutava os cânticos dos bem-aventurados no céu... Escutai a Santa Madalena! Que voz tão alta e bela a sua! Seu cântico se percebe acima de todos os outros... (HUSSLEIN, 1951, p. 99).*

Foto: Santa Catarina Labouré
(1806–1876)

***

Outros médiuns clariaudientes foram São Trófimo e Santo Eucárpio, soldados da Nicomédia, convertidos à fé cristã por solenes palavras de advertência, ouvidas do Alto, quando intensa luminosidade no céu lhes barrou o caminho, que trilhavam em perseguição aos seguidores do Evangelho.

***

São Francisco, o pobrezinho de Assis, também viveu o fenômeno da clariaudiência. Assim se expressa Vacchinetti (1946 apud UBALDI, 1980, p. 154-155):

Existia então, como ainda hoje, no declive da montanha, uma capela dedicada a São Damiano. São Francisco gostava de recolher-se na penumbra daquela igrejinha abandonada, a orar diante de um crucifixo. Um dia, estava ajoelhado diante daquela imagem do Redentor e suplicava poder conhecer finalmente qual fosse a vontade divina a seu respeito. Eis que, então, ainda banhado em lágrimas e com o coração agitado pelo ardor da oração, tendo os olhos fitos no crucifixo o vê avizinhar-se de si e de seus lábios divinos percebe sair uma voz que lhe diz: "Não vês que a minha Igreja está a desabar? Vai, pois, e restaura-la para mim". E por três vezes se repete o amargurado apelo, a divina oração: "Vade igitur et repara illam mihi!".

Foto: São Francisco de Assis (1182–1226) | Alfresco de Subiaco, em 1124 ou 1128

3.1 Santa Joana d'Arc

Santa Joana d'Arc é um caso em que o fenômeno da clariaudiência chega ao ápice. Enfrentando a incredulidade de todos, desde os 13 anos escutava as vozes de São Miguel, o arcanjo guerreiro, de Santa Catarina e Santa Margarida.

Em três anos e meio, preparou-se para empreender o papel que as vozes lhe reservavam. Por muito tempo Joana ouviu as vozes sem saber que rumo tomar, apenas conhecendo que devia partir para Orleans, que estava sitiada pelos ingleses e que era fundamental para a libertação da França.

Recebendo, em 1428, a ordem expressa das vozes para seguir para Orleans, como relata Américo Castro (1947), seu biógrafo, ela obedece, ainda que atônita.

Em Santa Catarina de Fierbois, numa capela erguida por Carlos Martel, encontra, guiada pela voz de Santa Catarina, a espada com que lutou Carlos Martel sete séculos antes, expulsando definitivamente os mouros da França.[35]

Em Chinon, reconheceu o Delfim num salão onde se aglomeravam mais de trezentas pessoas, "e respondendo sobre sua dúvida secreta, afirmou ser ele realmente o filho de Carlos VI", segundo Américo Castro (1947).

Diz Husslein (1951, p. 61):

> [...] não obstante a mais elementar prudência aconselhava que se pusesse à prova suas solicitações e a Universidade de Poitiers foi a encarregada de fazer o juízo. Joana se submeteu e impressionou profundamente a corte com a defesa que fez de si mesma e de suas solicitações. Os sábios doutores que a julgaram ficaram convencidos por completo de que se tratava de uma enviada de Deus e aconselharam ao rei que não a repelisse.

---

[35] Nota do autor: Sobre o fato, Léon Denis, em *Joana d'Arc (Médium)* (cap. 6) faz extenso e interessante comentário.

Foto: Santa Joana d'Arc (1412–1413)

A Voz dizia: vai à França, quadro de Tiago Wagrez. A donzela Joana d'Arc escuta a voz do Espírito de São Miguel, patrono dos franceses, acompanhado de Santa Catarina e Santa Margarida.

Joana foi instruída pelas vozes, levantou o cerco de Orleans e, como relata Husslein (1951), "[...] cidades e fortalezas começaram a cair em rápida sucessão sob o empunho de suas armas."

Em Reims, Carlos VII, como lhe predisseram as vozes, foi coroado rei. A partir desse momento, avisaram-lhe as vozes que cairia prisioneira e ela não se surpreendeu quando o fato ocorreu.

Manteve-se firme durante toda a farsa de seu julgamento, que demorou cinco meses, até sua condenação à fogueira. Sustentada pelas vozes até o último instante, Santa Joana d'Arc pronunciou na fogueira sua última palavra:

— Jesus!

4 XENOGLOSSIA ENTRE OS SANTOS

O intuito deste livro é dizer alguma coisa que precisa ser dita e dizê-la com simplicidade. Não sei como dizer estas coisas, mas Deus me dê forças para dizê-las.

(Lin Yutang)

A xenoglossia é um neologismo cunhado pelo eminente professor Charles Richet, o grande mestre da Universidade de Paris. Outro não menos ilustre sábio, o professor Ernesto Bozzano, estudando em seus vários aspectos o interessante fenômeno da mediunidade poliglota, escreveu brilhante obra sob esse mesmo título (TAVARES, 1967, p. 138).

No livro de *Atos*, capítulo 10, versículos 44 a 46, é descrito o fenômeno com o apóstolo Pedro:

Estava ainda Pedro a falar, quando o Espírito Santo desceu sobre todos os que ouviam as palavras. E os fiéis circuncisos que tinham vindo com Pedro ficaram tomados de assombro ao notarem que a graça do Espírito Santo assim se espalhava sobre todas as nações, pois os ouviam falar várias línguas e glorificar a Deus.

Esta experiência de Pentecostes foi uma esplêndida manifestação da xenoglossia entre os primeiros santos da Era Cristã.

* * *

Santa Clara de Montefalco, entre seus diversos dons, apresentava também a qualidade xenoglóssica, como nos conta Tardy (1881, p. 160-170):

Certo dia, Santa Clara de Montefalco anunciou profeticamente às suas irmãs a vinda até o Monastério de uma devota peregrina chamada Margarida, que partira de Carcassone, no Languedoc, França. Disse-lhes ainda que a jovem Margarida teria como destino da viagem a cidade de Roma, aonde iria visitar os lugares santos. Clara marcou dia e hora da chegada da forasteira a Montefalco. E precisamente no mesmo dia e à mesma hora, a jovem Margarida dava entrada no Convento da Cruz. Clara acolheu-a com as maiores demonstrações de carinho e a saudou pelo nome, embora não a conhecesse pessoalmente. Demorou-se em longo colóquio com Margarida, conversando com a peregrina no dialeto desta, o languedoc (provençal), em presença das monjas que as escutavam, surpresas pela novidade da descoberta daquele dom das línguas, acrescido aos outros dons de sua Abadessa (parlando con lei quello stesso suo dialetto alla presenza delle monache ascoltatrici, le quali restarono sorprese...)

* * *

Vamos incluir, neste capítulo sobre xenoglossia, os fenômenos maravilhosos que ocorreram na vida da excelente Teresa Neumann, a estigmatizada de Konnersreuth (aldeia do distrito de Tirschenreuth, Alemanha).

Embora Teresa Neumann não tenha sido canonizada pela Igreja Católica, que estuda ainda os fenômenos que com ela ocorreram, decidimos relacioná-la neste trabalho, pois todos os livros que dela tratam trazem o imprimátur da Igreja Romana.

Há inclusive opiniões oficiais da Santa Sé. Uma delas, a do padre Naber, pároco de Konnersreuth, que, em extensa carta ao chefe da redação do semanário *Schönere Zukunft*, dá testemunho da autenticidade dos fenômenos com ela ocorridos, como o da estigmatização[36] e da hematidrose (transpiração de sangue) que se repetiam anualmente, nas sextas-feiras santas. Ele era o confessor de Teresa e testemunha também o seu ótimo caráter e sua grande caridade e piedade cristãs.

Outra é a opinião de *L'Observatore Romano*, órgão oficial da Igreja, acerca do livro *Thérèse Neumann, la stigmatiseé*, de Ennemond Boniface, vazada nos seguintes termos:

> [...] da leitura deste livro ressalta uma evidência à qual é difícil fugir, o cúmulo da inverossimilhança (para não dizer absurdo) a que se exponha quem quisesse uma explicação racionalista [...].

Há também o discurso do Cardeal von Faulhaber, pronunciado na Catedral de Munique, em 6 de novembro de 1927.

Francisco Spirago nos relata sobre a xenoglossia da famosa mística bávara:

> Ouve [Teresa], por exemplo, como na Cruz Jesus exclamava: "Elói, Elói, lamma sabakthâni". Pelo Natal de 1926, ouviu na noite do nascimento de Jesus o canto dos anjos, mas sem compreender as palavras. O professor de Teologia, Wutz, de Eichstätt, foi ter com Teresa Neumann, uns dias mais tarde e repetiu-lhe em várias línguas as conhecidas palavras dos anjos: "Glória a Deus nas alturas", respondendo ela sempre: "Não, não foi assim!". Mas, ao pronunciar as palavras em língua aramaica, exclamou: "Sim, foi assim mesmo que cantaram!" (SPIRAGO, 1930, p. 83-84).

---

[36] Nota de Hércio M. Arantes: Esse interessante fenômeno de somatização é bem estudado por Cesare Lombroso e Dr. Jayme Cerviño em suas respectivas obras: *Hipnotismo e mediunidade* (FEB, Parte 11, Cap. 5); e *Além do inconsciente* (FEB, Cap. 3).

Ennemond Boniface, também biógrafo de Teresa Neumann, diz:

[...] ouve os personagens que vivem sob os seus olhares tão claramente como os vê e a sua memória é de tal forma que repete especialmente no estado de arroubamento, as palavras pronunciadas por eles. Foi assim que notaram, a princípio com espanto, que repetia, com pronúncia exata e acento correto, quase todas as línguas orientais, hoje mortas, nos seus diferentes dialetos. Diversos orientalistas e particularmente o professor Baver, da Universidade de Halle, o sábio jesuíta Leibur, o Doutor Kiefer e sobretudo o professor Wutz afirmaram que ela repetia com grande exatidão conversas travadas na língua de Cristo, o aramaico (BONIFACE, 1958, p. 174-175).

Esse exemplo de xenoglossia na Igreja Católica bem pode ser comparado ao de nosso querido médium Francisco Cândido Xavier que, entre seus notáveis dons mediúnicos, também possui o de xenoglossia; para exemplo, remetemos o leitor para *Trinta Anos com Chico Xavier*, capítulo "Psicofonia e Xenoglossia".[37]

---

[37] Nota de Hércio M. Arantes: Após a publicação dessa obra de Clovis Tavares, em 1967 (com referências a mensagens recebidas em inglês, luxemburguês, alemão, italiano, árabe, grego e castelhano), outras páginas, em idiomas ignorados pelo médium Chico Xavier, foram psicografadas e publicadas nos seguintes livros: *Claramente vivos*, *Retornaram contando* e *Vitória*, do IDE. Também é oportuno lembrar a célebre mensagem de 1938, registrada pela *Enciclopédia de parapsicologia, metapsíquica e espiritismo*, de João Teixeira de Paula (com título modificado en 1970 para *Dicionário enciclopédico ilustrado de espiritismo, metapsíquica e parapsicologia*), psicografada em inglês, na Sociedade Metapsíquica de São Paulo, com letras invertidas, mas corretas quando lidas com auxílio de um espelho; e das mensagens recebidas nos EUA, em 1965, também em inglês, publicadas na obra *Entre irmãos de outras terras* (XAVIER, 1978).

Foto: Santa Brígida
(1302-1373)

Do livro *Na luz perpétua*

5 SANTOS PSICÓGRAFOS

> *Religião e Ciência: as duas faces ou fases conjugadas de um só ato total de conhecimento — o único que pode abarcar, para os contemplar, os medir e os completar, o passado e o futuro da evolução.*
> (CHARDIN, Pierre Teilhard de. *O fenômeno humano*)

A psicografia é a

faculdade de os médiuns, sob a atuação de Espíritos comunicantes, escreverem com a própria mão ou, conforme o desenvolvimento mediúnico, com ambas as mãos ao mesmo tempo. O médium não toma nenhum conhecimento do que escreve e às vezes, enquanto o faz, conversa com os assistentes (PAULA, 1972, p. 224).

Analisaremos em seguida a mediunidade psicográfica na vida de Santa Brígida de Vadstena. Entre suas diversas faculdades mediúnicas, esta foi sem dúvida uma das mais notáveis.

Psicógrafa, no ambiente católico de seu tempo, sua potencialidade mediúnica muito se assemelha à de um médium espírita da atualidade. No seu processo de canonização, ela é chamada de "correio a serviço de um Grande Senhor" (*corriere al servizio di un grande signore*) (JØRGENSEN, v. 1, p. 124). E o foi realmente, pois recebeu do mundo espiritual, várias vezes, ordem explícita de escrever cartas a várias autoridades civis e religiosas, em sua pátria e fora dela. O fenômeno é legitimamente psicográfico.

Assim, "com severas expressões", escreve ao papa Clemente VI, da parte do próprio Cristo, segundo ela admitia. Nós, espiritistas, preferimos aceitar — sem querer negar a possibilidade excepcional da comunicação direta com o Espírito de Jesus[38] —, que muitas vezes tenha sido um intermediário de alta hierarquia o comunicante, em nome do Mestre divino. De qualquer modo, o fenômeno da psicografia se repetiu, em inúmeras ocasiões, na vida de Santa Brígida. E, na mesma ocasião, foram escritas mensagens dirigidas aos reis da França e da Inglaterra, visando pôr um fim à Guerra dos Cem Anos. Na verdade, nem o papa nem os monarcas atenderam aos apelos do Alto por intermédio da humilde servidora de Deus. (*Il papa aveva fatto orecchie da mercante a tutti i suoi desideri*, p. 174, volume I — *Nè Edoardo di Inghilterra nè Filippo di Francia porrano mente alle tue parole*. p. 173, volume I).

Todos sabemos que médium psicógrafo notabilíssimo foi João, o Evangelista, que recebeu do próprio Cristo de Deus os dizeres das cartas ou mensagens psicográficas que dirige às sete igrejas da Ásia Menor.[39]

Relata Jørgensen que, também, Santa Brígida de Vadstena, de Alvasra, que era a sua Patmos, "havia enviado uma carta aos sete bispos da Suécia" (JØRGENSEN, 1947, v. 1, p. 221).

Também outra mensagem foi dirigida a Carlos de Luxemburgo, que em outubro de 1347 se tornara Carlos IV, Imperador do Sagrado Império Romano Germânico (JØRGENSEN, 1947, v. 1, p. 225).

Interessante foi o processo de transmissão do livro mediúnico que Santa Brígida recebeu, o chamado livro das *Revelações*. Conta seu biógrafo que "em língua sueca, Brígida escreveu tudo aquilo que em cerca de uma hora lhe fora revelado e que havia permanecido em sua memória, como se cada palavra tivesse sido insculpida no mármore" (JØRGENSEN, 1947, v. 1,

---

[38] Nota do autor: Veja-se o caso da aparição de Jesus ao grande apóstolo espírita do Triângulo Mineiro, Eurípedes Barsanulfo, em *A vida escreve*, obra recebida pelos médiuns Francisco Cândido Xavier e Waldo Vieira e ditada pelo Espírito Hilário Silva, 2ª parte, cap. 27.
[39] APOCALIPSE.

p. 212). O texto sueco é de 14 mil palavras, e o latino (a tradução foi feita por Petrus Olai), de cerca de 17 mil.

Outro livro que Santa Brígida psicografou foi o denominado *Sermo Angelicus*. Estava ela em Roma, por volta de 1350, hospedada num palácio que lhe fora oferecido temporariamente pelo Cardeal Hugo de Beaufort, irmão do papa Clemente VI, e que na época residia em Avignon. Foi na capela desse palácio que — como claramente se expressa Jørgensen —, "Brígida, sob o ditado de um anjo, escreveu o *Sermo Angelicus*" (*sotto la dettatura di un Angelo scrisse il Sermo Angelicus*). Páginas adiante o mesmo biógrafo repete a afirmativa: "Brígida escreveu o *Sermo Angelicus* sob o ditado de um anjo": *Brígida scrisse il Sermo Angelicus sotto dettatura di un Angelo* (JØRGENSEN, 1947, v. 2, p. 137).

Já vimos que Santa Brígida de Vadstena, pelo testemunho de seu insuspeito biógrafo, era notável médium clarividente. Vários casos de sua poderosa mediunidade, nesse campo, já foram descritos, inclusive os referentes às notícias que ela recebia do Além-Túmulo, a respeito da situação espiritual daqueles por quem orava, a pedido de seus parentes e amigos terrenos. E durante a oração, já vimos, obtinha a grande médium católica a resposta devida, além das instruções sobre como deveriam seus consulentes ajudar os seus amigos desencarnados em dificuldades.

Acontece, porém, que algumas dessas respostas informativas vinham por escrito, por via psicográfica.

Diz Jørgensen, citando o *Processus*:[40]

> Às vezes, a vidente escreve de próprio punho, em língua sueca, a resposta que lhe foi dada; mas, se está doente, faz chamar seu confessor e lha dita, pronunciando as palavras lenta e solenemente, COMO SE AS LESSE DE UM LIVRO... [*Referebat ei verba illa in vulgari suo cum quadam attenta elevacione mentale QUASI SI LEGERET IN LIBRO*] (COLLIJN, 1931, p. 84 apud JØRGENSEN, 1947, v. 1, p. 166).

---

[40] N.E.: O autor se refere à obra *Acta et processus canonizacionis beate Birgitte*, de Isak Collijn, publicada em 1931.

Foto: São João Crisóstomo (348–407)

* * *

Mais uma semelhança entre a mediunidade da missionária católica e a dos missionários espíritas. Além de muitos exemplos, podemos citar o testemunho do próprio Francisco Cândido Xavier, em suas humildes e sinceras "Palavras Minhas", que se seguem ao prefácio de Manuel Quintão em *Parnaso de além-túmulo*. Nelas, o renomado médium espírita, entre os processos de sua mediunidade psicográfica, assinala um que é idêntico ao de Santa Brígida:

> *A sensação que sempre senti, ao escrevê-las [as poesias do Parnaso], era a de que vigorosa mão impulsionava a minha. Doutras vezes,* PARECIA-ME TER EM FRENTE UM VOLUME IMATERIAL, ONDE EU AS LIA E COPIAVA *(XAVIER, 1932, p. 19).*

* * *

Cesare Lombroso, em seu *Hipnotismo e mediunidade* (parte 2, cap. 4), transcreve esse interessante relato a respeito da vida de São João Crisóstomo: "Leão Augusto, na *Vida de São João Crisóstomo*, João Damasceno (*De imaginibus, orat.* I) e outros autores eclesiásticos, conservaram um caso de mediunidade escrevente. Certa noite, Proclo, antes de entrar no recinto onde estava trabalhando São João Crisóstomo, olhou pelo orifício da fechadura e viu, com grande surpresa, um homem de venerável aspecto que ditava ao santo, enquanto este escrevia. Retirando-se, voltou na noite seguinte, e reviu o mesmo espetáculo. Fez que outros olhassem, mas estes viam Crisóstomo inteiramente só. Compreendeu então que se tratava de um prodígio e interrogou respeitosamente o santo, e este lhe confessou que, todas as noites, o Apóstolo dos Gentios vinha ditar-lhes os *Comentários às epístolas de São Paulo*. Proclo era pessoa autorizadíssima, tanto que sucedeu Crisóstomo na cadeira episcopal de Constantinopla" (VESME, 1897 apud LOMBROSO, 1959).

* * *

Existe ainda um pequeno livro chamado *O manuscrito do purgatório* — impressionante e proveitosa revelação de uma alma no purgatório — formado por mensagens mediúnicas, de autoria de uma freira que desencarnara num convento da França, psicografado por outra freira no período de 1874 a 1890. O opúsculo tem o *imprimatur* da Igreja, foi traduzido para o português pelo monsenhor Ascânio Brandão e publicado pelas Edições Paulinas. Nessas mensagens há relatos de zonas de sofrimento muito semelhantes às descritas por André Luiz em seus diversos livros, psicografados por Francisco Cândido Xavier. Há também afirmativas que sugerem a reencarnação, como a seguinte: "A Terra é apenas uma passagem onde só se recebe um corpo que, por sua vez, há de voltar à Terra."

Logo de início diz o manuscrito que aparição "é uma manifestação do outro mundo, de alguém que nos vem dizer o que lá se passa." E é o que ocorreu no caso citado com a freira, que era por todos do convento considerada santa, e também dotada de reto juízo, equilíbrio e de muito bom senso.

Por meio de sua mediunidade psicográfica, a irmã desencarnada M. G. lhe ditou extensa carta, descrevendo seu próprio sofrimento e pedindo orações.

Os teólogos consultados deram parecer de que o manuscrito tinha o selo de uma perfeita autenticidade e por conseguinte tinha pleno valor, quer quanto à autenticidade, quer quanto à origem.

* * *

Também Sóror Josefa Menéndez (1890–1923), religiosa coadjutora da Sociedade do Sagrado Coração de Jesus, escreveu um livro ditado pelos espíritos de Jesus, de São João Evangelista e de Santa Madalena Sofia, sobre o qual se faz uma apreciação no capítulo 7 e aqui tão somente registramos como mais um caso de psicografia na Igreja Católica.

5.1 Fantasia ou psicografia?

É pena que alguns cultos padres e frades católicos tenham deflagrado violentos ataques ao Espiritismo, sem dedicar-se ao estudo consciencioso do problema das regiões de sofrimento no Além-Túmulo. Nesses violentos panfletos e livros, eles geralmente se apresentam como desconhecedores da existência dessas regiões de dor em que se encontram Espíritos desencarnados em débito com a Justiça divina. Tanto assim que um deles, numa dessas catilinárias contra o Espiritismo, afoitou-se a denominar "uma fantasia psicografada" o notável livro de André Luiz — *Nosso Lar*, recebido por Francisco Cândido Xavier —, admirando-se das revelações que o inteligente escritor desencarnado faz a respeito de seus sofrimentos no Umbral, isto é, em zonas purgatórias do Invisível. Infelizmente, esses irmãos não puderam aceitar, pela fé ou pelo entendimento, as notícias de André Luiz, que "descrevem a vida e a atividade fantástica do mundo depois da morte". E pena, dissemos, porque na própria bibliografia legitimamente católica (com imprimátur da Igreja), os indóceis adversários da Doutrina Espírita encontrariam elementos para entender algo a respeito desse mundo que nos espera a todos, a eles, a mim, ao leitor, além das dimensões deste mundo físico em que temporariamente nos manifestamos. Mundo invisível que se hierarquiza em regiões de dor e de felicidade, regiões diversificadas a confirmarem aquela palavra de suprema autoridade de Cristo: "Na Casa de meu Pai, há muitas moradas". André Luiz descreve em *Nosso Lar* uma dessas moradas, próximas de nosso planeta, onde as almas se preparam para ascensões maiores. Também nessa obra, descreve ele regiões purgatoriais em que viveu oito anos, entre sofrimentos, sombras e lágrimas. Pois chamam a isso fantasia, "uma fantasia psicografada". Entretanto, na vasta literatura católico-romana, encontram-se inúmeras descrições do mundo invisível, que abonam as descrições mediúnicas de André Luiz.

As *Atas de Santa Perpétua*[41] (século IV), cuja autenticidade nos é garantida por Santo Agostinho, descrevem as regiões purgatoriais como o faz André em *Nosso Lar*. Vê Perpétua seu irmão Dinócrates, que morreu com um câncer na face, no purgatório ("num lugar tenebroso, no qual se acham muitas pessoas") ainda com a úlcera no rosto. E padecendo grande sede, qual André no Umbral. Mais tarde, após os sofrimentos purgatoriais, ela o vê brilhante e belo (PASSIO apud BRANDÃO, 1948, p. 39-40).

E as descrições do *Apocalipse?* E as notícias de Josefa Menéndez? E as de Ana Taigi (que o papa Bento XV declarou bem-aventurada em 1920), que nas suas mensagens revelou os sofrimentos do Cardeal Dória, depois da morte, além de sacerdotes e pregadores, todos em padecimentos purgatoriais?

Seria bem útil aos detratores do Espiritismo a meditação das revelações e mensagens, obtidas no seio de sua própria Igreja, a respeito das regiões de sofrimento além da morte, dessas regiões que, intensamente inclinados para as interpretações materialistas dos fatos mediúnicos, consideram "descrições fantásticas". Os livros de Santa Teresa de Jesus, as narrativas de Monsenhor De Segur, do Cura d'Ars, de Santa Margarida Maria Alacoque, de Santa Brígida de Vadstena, de São Paulo da Cruz, de Santa Clara de Montefalco, o famoso *Manuscrito do Purgatório*, as visões e descrições dos sofrimentos de Além-Túmulo feitas por Madame Brault (famosa mística canadense, biografada pelo padre Louis Bouher), além de

---

[41] N.E.: Trata-se de *Passio Sanctarum Perpetuae et Felicitatis* (*Paixão de Santa Perpétua e Santa Felicidade*), diário em que Perpétua, mártir cristã do século III, registrou suas experiências e visões enquanto esteve presa.

muitos outros, são depoimentos que revelam, como o faz o Espiritismo, a existência de regiões de padecimentos, de infelicidade, de tormentos além da vida física.

Não podemos ignorar, portanto, essas realidades espirituais. A Doutrina Espírita ainda nos esclarece (vejam-se os livros de André Luiz, especialmente *Libertação* e *Ação e reação*) que as Inteligências tenebrosas que dominam essas regiões, muitas de horror infernal, preparam verdadeiras conspirações contra a obra de extensão do reino de Deus na Terra. Através de vasta rede de atividades obsessivas e inspirações malignas, servindo-se da falta de consciência e da invigilância dos homens, realizam os mais diferentes objetivos do mal, amordaçando consciências, destruindo lares, tumultuando as atividades do bem, destruindo a fé, semeando discórdias e desânimos, preparando simonias e apostasias, lançando o joio no trigal de Cristo. Neste último setor, vemos os tristes resultados na materialização e paganização crescente dos ambientes religiosos de todas as Igrejas e crenças, inclusive em nosso campo doutrinário do Espiritismo. Apresentamos um só exemplo — o da mediunidade transviada, como bem a denominou André Luiz.

6 PSICOPIROFORIA NA IGREJA

> *Cada consciência, à medida que se aperfeiçoa e se santifica, aprimora em si qualidades do Pai celestial, harmonizando-se gradativamente com a Lei — André Luiz.*
>
> (XAVIER, Francisco Cândido. *Entre a Terra e o Céu*).

Picone Chiodo divide os fenômenos psíquicos em físicos, químicos e intelectuais. Relativamente aos segundos, diz o sábio italiano:

Os fenômenos químicos consistem, sobretudo, na produção de corpos luminosos, sob a forma de globos fosforescentes, aparentemente sólidos, de luzes, de pequenas chamas de cores diferentes e de formas diversas (CHIODO, 1938, p. 29).

Após acurado exame, declarou Crookes que a química moderna é incapaz de lhes explicar a natureza e de produzir coisa semelhante.

Notável é o fenômeno da proteção contra a ação do fogo. Home retirava do fogo um carvão em brasa e com este na mão percorria a sala toda e também indicava quais eram capazes de manejar o fogo sem se queimarem. A esses, com efeito, entregavam-se brasas ardentes e eles nenhuma sensação experimentavam de queimadura. Certa vez, Hall, pintor muito conhecido, colocou sobre a cabeça uma bucha incandescente, que brilhou entre os seus cabelos brancos, às vistas de muitas pessoas. Os cabelos não se queimaram e ele não sentiu a mínima dor (CHIODO, 1938, p. 29).

A esse fenômeno se dá o nome de *incombustibilidade*. Dr. Lobo Vilela, matemático e engenheiro português, propôs o termo *absefalesia* para designar a insensibilidade às queimaduras. Também se refere ao médium Home, que "pegava em brasas e punha-as sobre a cabeça ou na palma da mão, segundo o testemunho de Wallace". Ainda consigna um sinônimo: *apiropatia* (VILELA, 1958, p. 171). E o erudito confrade Cícero Pimentel propõe com muita justeza o termo *psicopiroforia*.

* * *

Na vida de São Pedro de Alcântara, conta-nos seu biógrafo, Frei Stéphane Piat, O.F.M.,[42] encontram-se alguns fenômenos de *incombustibilidade*.

O fogo que investe contra um convento cede imediatamente à sua ordem. AGARRA COM AS MÃOS AS TRAVES EM BRASA e salva da destruição a capela de Nossa Senhora do Rosário, de onde já se pensava em retirar o Santíssimo Sacramento (PIAT, 1962, p. 35).

* * *

Husslein (1951, p. 23, 50, 83 e 159) descreve, em seu *Heroínas de Cristo*, diversos casos de incombustibilidade. O primeiro é o de Santa Inês, uma adolescente romana. Condenada à morte, as autoridades ordenaram se acendesse

---

[42] N.E.: Sigla para *Ordo Fratrum Minorum* (Ordem dos Frades Menores).

uma grande fogueira no Forum Boarium e que Inês fosse arrojada nela. Quando se executou a ordem, o fogo se dividiu em duas partes sem tocar a menina, e as chamas se estenderam a ambos os lados, queimando a todos os que se achavam próximos.

François-Paul Raynal (1946, p. 70), em seu pequeno calendário hagiográfico, também relata que "quiseram queimá-la viva, mas suas preces apagaram as chamas" (*on voulut la brûler vive, mas ses prières éteignirent les flammes*). Foi, finalmente, decapitada (22 de janeiro de 304).

* * *

Outro caso, relatado pelo mesmo Husslein, é o de Santa Cecília, outra jovem romana, do século II ou III. Colocada "numa banheira de bronze, logo sob essa se manteve acesa uma enorme fogueira". Cecília, entretanto, não foi atingida, permanecendo incólume, apesar de sufocante calor (HUSSLEIN, 1951, p. 50).

* * *

Um médico francês, o Dr. Dozous, diz ainda o mesmo autor, presenciou o que aconteceu com Santa Bernadette Soubirous, a famosa vidente de Lourdes, durante um de seus êxtases:

O Dr. Dozous, que estava presente, pôde observar que a mão esquerda de Bernadette permanecia longos minutos sobre a chama do círio que sustinha com sua destra. Vendo que a chama parecia não a queimar, o médico proibiu aos circunstantes que a apagassem. Durante mais de um quarto de hora, a mão de Bernadette esteve diretamente sobre a chama. Não só não sentia dor, como ainda a epiderme não mostrava o mínimo sinal de queimadura. Depois do êxtase, o Dr. Dozous passou várias vezes a vela sob a mão da menina, mas cada vez que o fazia, ela a afastava bruscamente com estas palavras: "O senhor está me queimando!" (HUSSLEIN, 1951, p. 83).

Também igual fenômeno sucede com Santa Luzia, jovem siracusiana martirizada no ano 303 em Sicília, sob Diocleciano. Tendo sido seu corpo coberto de pez e azeite, entre as chamas, ilesa, a mártir se dirige aos seus verdugos: "Pedi a meu senhor Jesus Cristo que este fogo não me consuma, e que assim meu martírio se prolongue para todos os que creem em Cristo percam o temor ao sofrimento." E anunciou ainda a volta da paz à Igreja, a abdicação de Diocleciano e a morte, naquele mesmo dia, de Maximiano. Foi, depois, decapitada. Raynal (1946, p. 253-254) também testifica o mesmo, declarando que as chamas não lhe causaram o menor mal: "[...] les flammes ne lui causèrent aucun mal et elle consomma son martyre en annonçant la paix pour l'Ellise".

* * *

Também na vida de São José Oriol, santo barcelonês do século XVII, há um caso de incombustibilidade. Para livrar-se de injusta suspeita, espontaneamente dirigiu-se ao fogão, perto do qual estava, "onde, no auge, os carvões estalavam e faiscavam e, no abrasado terrível, meteu ambas as mãos, sem que mal algum lhe sucedesse" (ROHRBACHER, 1960, v. 2, p 237).

* * *

Também São Gregório Magno, nos seus *Diálogos*, registra o caso do século VI de um monge da Campânia, que foi encerrado pelos godos num forno aquecido ao máximo, sem que nada de mal lhe tivesse acontecido:

Foto: Santa Luzia (?– 303)

Do Livro *Na luz perpétua*

Como havia na vizinhança um forno bem aquecido para o cozimento do pão, ali o meteram, trancando-o. No dia seguinte, Bento foi encontrado indene: não só o corpo nada sofrera, como as vestes mesmas não haviam recebido qualquer chamusco (ROHRBACHER, 1960, v. 5, p. 242).

* * *

Cita ainda Rohrbacher o caso do bem-aventurado Pedro, cognominado "Ígneo" pelo papa Gregório VII. Ele fora obrigado a passar pelo fogo, a fim de comprovar ou não a culpabilidade do arcebispo Pedro de Povia, acusado de simonia.

Ateado o fogo, fez-se silêncio e Pedro, ajoelhado, pôs-se a orar contritamente. Quando as chamas, crepitando e lançando fagulhas que se projetavam no ar tremelicante, chegaram ao auge, levantou-se e disse solene em voz alta: "Que Nosso Senhor Jesus Cristo permita que eu passe pelas chamas e saia ileso são e salvo, se o arcebispo Pedro de Povia for realmente culpado do que se lhe acusa!" (ROHRBACHER, 1960, v. 3, p. 115).

Fitando as labaredas que dançavam loucamente em meio à cruz, calmamente avançou para o fogaréu, levando o crucifixo na mão; e serenamente atravessou a ardente ruazinha que se achava sob uma rubra abóboda. Pedro, tão sereno como entrara, assim saíra sem um chamusco, sem uma fagulhazinha sequer a lhe inflamar o hábito que apenas cheirava à fumaça.

* * *

São João de Deus, conta Rohrbacher (1960), tinha uma ternura singular pelos doentes. Prova disso, deu-a no dia em que o fogo tomou o hospital.

Vivamente alarmado com o perigo que corriam os doentes, resolveu se expor a tudo para salvá-los. Conduzindo em seus ombros um após outro, atravessou as chamas. Experimentou ele, bem visivelmente, a proteção da Providência, porque nem ele, nem os doentes foram prejudicados pelo incêndio".[43]

---

[43] Nota de Flávio M. Tavares: Inúmeros outros casos deveriam estar aqui relatados; entretanto, infelizmente, fica a obra com a beleza de uma sinfonia inacabada.

Foto: Santa Gemma Galgani (1878–1903) | Fotografia

7 ZOANTROPIA, FORÇAS DO MAL

> *Simão, Simão, eis que Satanás vos pediu para vos cirandar como trigo; mas eu roguei por ti para que a tua fé não desfaleça.*
> (Lucas, 22:31 a 32)

As forças do Mal sempre desencadearam terríveis e inacreditáveis ataques contra os servidores da Luz. Não é lícito esquecer os grandes exemplos citados no Evangelho.

Igualmente, no correr dos séculos, fatos semelhantes têm sido recolhidos pelos historiadores religiosos. É a mesma luta entre a Luz e Treva, desde os primórdios da Revelação até os nossos dias.

Na vida de Santa Gemma Galgani (1878-1903), são dolorosos os fenômenos de infestação espiritual produzidos por malfazejas entidades do mundo invisível.

Husslein (1951, p. 56-57) relata que esses seres espirituais "tomavam as mais terríveis formas". É o fenômeno de zoantropia, em que malfeitores desencarnados, como muito bem esclarece o sábio Espírito André Luiz (XAVIER, 1949), tornam-se visíveis sob formas animalescas, expressões de sua degradação moral e espiritual. Uma entidade espiritual dessa categoria aparecia, "às vezes, a Gemma Galgani, como um cão feroz que se arrojava sobre ela (*un perro feroz que se abalanzaba contra ella*) ou como um monstro gigantesco que a afligia a noite inteira (*un monstruo gigantesco que la golpeaba toda la noche*), gritando: "Tu me pertences! Tu me pertences!".

Diz ainda o mesmo hagiógrafo:

Foram extraordinários os sofrimentos de Gemma antes de sua morte. Seu corpo passou por todas as agonias. O demônio a torturou sem descanso. A enferma fez chamar a seu confessor para que a exorcizasse e conseguir, assim, algum alívio. Mas foi em vão. Foi sua toda a desolação do Calvário, e morreu com estas palavras nos lábios: "Jesus, encomendo-te minha pobre alma".

* * *

Como vemos, os grandes médiuns, os expoentes da raça humana a serviço de Deus, pagam sempre — qualquer que seja o ambiente religioso em que missionem —, um grande tributo ao sofrimento, no testemunho da Verdade e da Luz. Os sinceros médiuns católicos ou protestantes, tanto quanto os autênticos médiuns espíritas, sabem sofrer pela expansão do reino de Deus, em testemunhos sacrificiais de amor a Jesus Cristo.

No magnífico romance de Emmanuel — *Renúncia* — que Francisco Cândido Xavier psicografou, é narrada a história de uma grande Alma que se dispôs a deixar as sublimes esferas em que vivia, reencarnando-se numa grande missão de amor e sacrifício. Seu guia espiritual, a quem ela chama "anjo amigo", faz-lhe ver todas as dimensões do sofrimento humano para as grandes almas. Convidando o leitor à leitura ou releitura de tão sublime obra, pedimos vênia para transcrever aqui apenas umas poucas linhas do sublime diálogo entre Antênio e Alcíone:

— *Sim, querido amigo, refleti em tudo isso e estou resolvida ao testemunho, por mais cruel que seja o meu roteiro.*
— *Venturosa serás se puderes aceitar o sofrimento na Terra, dentro desse conceito* — exclamou o mentor com grande tranquilidade. — *O homem comum, nos seus interesses mesquinhos, não considera a dor senão como resgate e*

pagamento, desconhecendo o gozo de padecer por cooperar sinceramente na edificação do reino do Cristo (XAVIER, 1963, p. 31).

São esses grandes Espíritos que integram o desconhecido martirológio dos autênticos médiuns da Luz, dos verdadeiros santos, legítimos heróis da fé, sem discriminações nem cânones, na imensa Seara de Deus, que é a Terra.

* * *

O leitor certamente não estranhará a incidência constante, só aparentemente absurda, da ação das forças do mal na vida dos grandes missionários. Não cabe aqui a análise mais aprofundada do fenômeno, mas não podemos ignorar o interesse de dominação dos seres malfazejos, manifestado sempre quer na esfera visível em que vivemos, quer, e talvez muito mais, no plano invisível ou proveniente dele. É a grande batalha das Trevas contra a Luz, guerra contínua, ardilosa, sem tréguas

A experiência espiritual dos grandes seres que no mundo testemunham o pensamento de Deus é repleta de preciosas evidências, dignas do mais acurado estudo.

* * *

Na sofrida e exemplar existência de São Pedro de Alcântara, inúmeras foram as investidas das forças do mal, provações a que o grande herói da fé resistiu e venceu com a força de sua humildade e de consagração ao bem.

Piat descreve um desses assédios, acompanhado de fenômenos físicos irrecusáveis:

O diabo entra agora em cena. Obsessiona-o sob formas asquerosas, persegue-o com escárnios, com gritos e ruídos noturnos. E chega mesmo às vias de fato: derruba-o, sufoca-o até quase o estrangular; cobre-o com CHUVARADA DE PEDRAS *que, na manhã seguinte,* AINDA SE ENCONTRAM ESPALHADAS PELO SOALHO DA POBRE CELA *(PIAT, 1962, p. 20).*

E acrescenta o hagiógrafo:

Era preciso que Frei Pedro fosse um modelo de paciência e de bondade para que os confrades vizinhos lhe perdoassem tanta importunação e barulho. Quanto a ele, contenta-se em murmurar: "Sofro com prazer as violências por amor do bom Jesus". [...] A publicidade desses fatos permanecerá, em vida, o mais cruel tormento de Frei Pedro de Alcântara (PIAT, 1962, p. 20).

Outro fato, de natureza oposta, sucedeu em Nossa Senhora dos Anjos de Robledilho, onde Frei Pedro era guardião. Nesse convento, São Francisco de Assis se hospedara, segundo a tradição, quando de sua viagem à Espanha e "predissera que dali se ergueria um luzeiro algum dia." Caíra muita neve em dezembro, os caminhos se encontravam obstruídos e "reinava triste perspectiva para o Natal". Não havia mais pão no convento.

Entoam os frades, com o ventre seco, o Ofício da Vigília. Um sermão paternal de Frei Pedro reanima-lhes a coragem. Que alegria devem sentir ao comungar fisicamente da miséria de Belém! Eis que, depois das matinas, enquanto Frei Pedro canta a Missa do Galo, batem à porta. Um irmão se apressa, pensando ser algum viajante em perigo. Não encontra pessoa alguma. Sobre a brancura da neve não há pegadas. Mas aí estão DUAS CESTAS DE MANTIMENTOS *para alegria da recreação natalina.*

É o fenômeno de *transporte*, amplamente estudado na vastíssima bibliografia espírita...

***

Na vida de Dom Bosco, como nas de tantos outros heróis da fé, são inúmeros os casos em que a mediunidade do grande santo italiano se revela na sua desassombrada e vitoriosa batalha com as forças tenebrosas do Invisível. Os mais estranhos e incríveis fenômenos sucedem. As forças do mal não dão tréguas ao santo, durante dois longos e dolorosos anos de luta, de 1862 a 1864.

O padre Auffray (1947, p. 499 e seguintes), em seu *Saint Jean Bosco*, descreve pormenorizadamente a grande batalha com os Espíritos malfazejos e vingativos, interessados em prejudicar a obra missionária do apóstolo de Becchi. Foram perseguições "verdadeiramente infernais" (*ces persécutions furent vraiment infernales*).

Aos padres Cagliero, Bonetti e Ruffino, que em certa manhã de fevereiro de 1862 o encontraram pálido e extenuado, Dom Bosco confidenciou as infestações de que era vítima todas as noites, naquela época, descendo às minúcias dos acontecimentos, como relata Auffray (1947). É bom recordar que Dom Bosco era médium clarividente, clariaudiente, intuitivo, possuindo ainda inúmeras outras faculdades, inclusive de efeitos físicos e de bilocação. Seus biógrafos, católicos todos, fazem referências minuciosas a esses seus extraordinários poderes psíquicos. Não só penetrava, como já vimos, os planos superiores e felizes do mundo invisível, como também (como acontece geralmente com os grandes médiuns), por motivo de serviço espiritual, as regiões inferiores do Além-Túmulo. E doutras vezes, destas últimas esferas espirituais recebia os mais cruéis ataques, das mais tenebrosas entidades inimigas da Luz e do Bem.

Dom Bosco via, ouvia, percebia e sofria, firme na confiança que seu coração depositara no poder de Deus.

Vejamos algumas de suas confidências aos três sacerdotes acima referidos, insertas no livro de Auffray. Esses Espíritos malfazejos ora vinham gritar-lhe aos ouvidos (*hurler a son oreille*), ora desencadeavam no seu quarto uma ventania tempestuosa que atirava pelos ares todos os papéis de sua mesa (*un vent de tempête, qui balayait tous les papiers de sa table*); às vezes, punham-se a rachar lenha sem descanso ou faziam brilhar chamas na estufa apagada (*jaillir des flammes du poele éteint*). Puxavam-lhe as cobertas e agitavam-lhe violentamente o colchão. Outras vezes, eram gritos agudos e sinistros que apavoravam o coração do santo (*un cri sinistre qui jetait l'effroi au coeur du saint*). Desencadeavam estrondos assombrosos no teto da casa, como se um grupo de artilharia desenvolvesse suas atividades.

Às vezes, a entidade malfazeja atacava diretamente o santo, sacudindo-o pelos ombros (*il secouait Don Bosco par les épaules*) ou sentando-se, com escárnios, sobre seu próprio peito (*s'asseyait ironiquement sur sa poitrine*). Fazia o criado-mudo dançar no meio do quarto (*il faisait valser la table de nuit au milieu de la chambre*). Continuando as zombarias, passava um pincel gelado na testa, no nariz, no queixo do venerável missionário (*il lui passait sur le front, sur le nez, sur le menton, un pinceau glacé*).

Os fenômenos físicos iniludíveis prosseguiram perturbadoramente: o malfeitor desencarnado levantava toda a roupa de cama e a deixava cair bruscamente ao chão ou sacudia portas e janelas durante tempo apreciável (*il ébranlait portes et fenêtres pendant des quarts d'heure entiers*).

E o mais apavorante, nessa longa batalha com as forças do mal, a atestar a poderosa mediunidade e a invencível espiritualidade de Dom Bosco, foram os fenômenos de zoantropia (inclusive a licantropia), tão bem descrito pelo sábio Espírito André Luiz em suas obras psicografadas por Francisco Cândido Xavier (1949).[44]

Em atormentadoras investidas contra o valoroso missionário italiano, as entidades perversas das regiões inferiores do Invisível também assumiam as mais terríveis e horripilantes formas espirituais. O insuspeitíssimo

---

[44] Nota de Elias Barbosa: À zoantropia, André Luiz também se refere, nos livros *Nos domínios da mediunidade* (cap. 23) e *Desobsessão* (cap. 36).

padre Auffray descreve o fenômeno de zoantropia, declarando que perseguidores desencarnados apareciam ao santo "sob as expressões de animais ferozes — ursos, tigres, lobos, serpentes — ou sob o aspecto de monstros indescritíveis, que o ATACAVAM FURIOSAMENTE [*sous les traits d'animaux féroces, ours, tigre, loup, serpent, ou sous les especes de monstres indescriptibles, fonçant sur lui avec rage*]" (AUFFRAY, 1947, p. 500-501).

* * *

No que se refere aos fenômenos de zoantropia, há interessantes referências à mediunidade de Santa Gemma Galgani.

Os desencarnados malfazejos que a atacavam, impiedosamente, como já vimos, também produziam fenômenos físicos extraordinários, como esses de telecinesia, isto é, de movimento de objetos sem contato. Assim os descreve um biógrafo da santa de Lucca, o padre Husslein, usando sua linguagem teológica: "Se Gemma escrevia uma carta a seu diretor espiritual, o diabo lhe arrancava a lapiseira, rasgava-lhe o papel e arrastava-a com violência para longe da mesa" (HUSSLEIN, 1951, p. 56-57).

* * *

Também o mesmo hagiógrafo relata, na vida de Santa Bernadette Soubirous (HUSSLEIN, 1951, p. 78), um estranho fenômeno. Foi por ocasião das primeiras aparições da gruta de Massabielle. Os pais da pequena camponesa, em face da reação provocada pelos seus relatos e da vigorosa perseguição policial, proibiram-lhe que fosse à gruta. A jovenzinha obedeceu. E um dia, quando se dirigia à escola das Irmãs de Caridade de Nevers, "se sentiu detida como por uma barreira invisível, num trecho do caminho que conduz ao convento, desde o Pont des Ruisseaux". Por mais que insistisse, não conseguia avançar" (HUSSLEIN, 1951, p. 78).

Foto: Santo Antônio de Pádua (de Lisboa) (1195–1232)

A tradutora argentina do livro de Husslein declara, num rodapé, na mesma página: "Essa luta de Bernadette por vencer uma invisível barreira foi presenciada com estranheza pelos agentes de polícia que seguiam os passos da menina, sem que ela o soubesse, e que narraram depois o episódio" (HUSSLEIN, 1951, p. 78).

* * *

Outro fato semelhante é narrado ainda em *Heroínas de Cristo* e se refere a Santa Luzia. Presa pela autoridade judicial de sua cidade, como se negasse a sacrificar aos ídolos, o governador Pascásio ordenou que a levassem a um lugar de perdição, a fim de que nele tivesse morte ignominiosa.

Ordenando o governador que a retirassem do Pretório, o estranho fenômeno a todos assombrou:

> *Três legionários de rude feição se adiantaram para conduzi-la; mas não conseguiram afastá-la do lugar em que se achava. Ataram-na com cordas para arrastá-la, porém ela continuou inamovível* (HUSSLEIN, 1951, p. 158-159).

"Pitonisas e sacerdotes do templo ensaiaram seus poderes contra ela, mas tudo em vão". Depois de diálogos e do fenômeno de incombustibilidade, relatado no capítulo 6, foi a jovem siracusiana finalmente decapitada (HUSSLEIN, 1951, p. 158-159).

* * *

Também Santo Antônio de Lisboa enfrentou, muitas vezes, o poder das inteligências devotadas ao mal e que a literatura católica denomina genericamente de "demônios". Conta Dom Alfonso Salvini, em sua biografia:

Numa noite, enquanto o santo descansava, atacou-o [o demônio]; agarrando-o pela garganta, tentava sufocá-lo. Mas que pode o demônio contra a vontade de Deus? (SALVINI, 1954, p. 168).

Acrescenta o hagiógrafo que Antônio recorreu a Maria Santíssima, que considerava sua protetora, e viu o malfeitor desencarnado "afastar-se precipitadamente, enquanto a sua cela se iluminava de esplêndida luz celestial".

Outro biógrafo do santo português, o padre Jean-Antoine At, também declara que o santo "não estava ao abrigo da tentação dos demônios, que frequentemente o atacavam, a fim de o perturbar e o demover do santo exercício da oração" (AT, 1951, p. 34). Quando Antônio pregava o Evangelho na França, diz ainda o mesmo hagiógrafo: "mais do que nunca, teve que se haver contra os demônios, invejosos de suas conquistas" (AT, 1951, p. 73).

* * *

Anota Jørgensen que o renome de Santa Brígida se deu, em grande parte, pelos "sinais e fatos maravilhosos que a seguiam aonde quer que ela chegasse" (JØRGENSEN, 1947, v. 1, p. 166) e que serviam de confirmação ao que ela pregava. Textualmente, afirma seu biógrafo:

Ela expulsava os Espíritos malignos; e não somente ela tinha o poder de dominar os demônios, os quais lhe obedeciam, mas seu confessor, Petrus Olai, havia recebido dela o mesmo dom.

E acrescenta que, somente em Ostergötland, ele afastou três dessas entidades obsessoras, e isso em presença do Bispo Tomás de Växjö e do doutor Mestre Matias, professor de Teologia e cônego de Linköping.

* * *

Clara de Montefalco (TARDY, 1881, p. 164), utilizando-se de suas possibilidades mediúnicas, não só tinha conhecimento do estado espiritual de entidades amigas ou desconhecidas, como igualmente, "em virtude do mesmo espírito e dom celeste, pôde descobrir muitas ciladas tramadas pelo demônio contra si mesma e seu mosteiro". Entidades inferiores lhe apareciam, bem como a outras irmãs de seu convento, às quais ela dedicadamente estendia a proteção de seu carinho e cuidado. Fenômenos físicos de ruídos à porta do convento e influências diversas sobre as freiras, acompanhavam as aparições e os ataques dos Espíritos inferiores a Clara e a algumas de suas irmãs.

7.1 Sobre Josefa Menéndez e suas revelações

Apelo ao amor é um livro católico, publicado pelos padres Monier-Vinard e F. Charmot, ambos jesuítas franceses. Seu subtítulo indica seu conteúdo: "Mensagem do Coração de Jesus ao mundo e sua mensageira sóror Josefa Menéndez". Josefa foi uma religiosa coadjutora da "Societé du Sacré Coeur de Jesus", nascida na Espanha, em 1890, e falecida no Convento dos "Feuillants", em Poitiers, na França, em 1923. O volume da 2ª edição, de que nos servimos, foi publicado em português pela Editora Santa Maria, Rio de Janeiro, em 1953. Além dos vistos de dois jesuítas, tem o imprimátur de Monsenhor Caruso, pró-vigário-geral do Rio de Janeiro, datado de 8 de setembro de 1952. O mais importante, porém, é que o valioso documentário católico traz, antes do prólogo, uma página fac-similada, escrita em francês, que não é menos que a bênção do papa Pio XII, quando ainda Cardeal Pacelli, dada para a 1ª edição do livro. A reprodução do autógrafo foi feita com o consentimento de Sua Santidade. O Cardeal Pacelli era Protetor da Sociedade a que pertencia a freira espanhola de Poitiers.

Foto: Sóror Josefa Menéndez (1890–1923) | Fotografia

Esse longo introito é indispensável para valorizar o que agora vamos dizer a respeito do livro. O *Apelo ao amor* é um volume de 560 páginas, que relata os colóquios de Josefa Menéndez com os Espíritos de Jesus, de Maria, de João Evangelista, de Santa Madalena Sofia etc. Como é evidente, o livro é católico, sua doutrina é católica e seus ensinamentos e apelos se situam dentro dos dogmas da Igreja Romana. Entretanto, fenômenos mediúnicos surgem em grande número, por meio das revelações e dos relatos autobiográficos da religiosa Josefa, bem como de outras testemunhas. Um capítulo inteiro é dedicado aos desdobramentos da freira. Várias vezes, em espírito, percorreu ela as regiões que denominou purgatoriais e infernais. Fenômenos vários se dão antes e depois dessas visitas que ela fez às "trevas do Além-Túmulo". Muitos desses fenômenos são perfeitamente iguais aos descritos nos livros espíritas; fatos semelhantíssimos a vários casos relatados por Ernesto Bozzano em suas monografias.

O que queremos assinalar, entretanto, é que, nessas regiões trevosas do mundo invisível, Josefa Menéndez, que foi inegavelmente uma médium católica, viu quadros abomináveis, ouviu palavras e blasfêmias que sua pena se recusou a transcrever, assistiu a tormentos indescritíveis Mas, esses painéis terríficos, esses clamores de obscenidades, esses tormentos infernais, muitos eram vividos, proferidos, sofridos por inúmeras personalidades espirituais que haviam pertencido à Igreja Católica. Sim, prezado leitor: Josefa viu padres, freiras, bispos, abades entre gritos e tormentos do inferno, em abismos imensos, entre "horríveis palavrões", "horríveis blasfêmias", em "nichos inflamados". "Tais gritos de confusão não cessam um instante. Um cheiro nauseabundo e repugnante asfixia e invade tudo; é como se carne em putrefação estivesse queimando com piche e enxofre [...]" (LESCURE; MONIER-VINARD; CHARMOT, 1953, p. 525).

Assinalamos, entre coisas não publicáveis, nudez nas regiões infernais: "Em volta de mim, estavam sete ou oito pessoas sem roupa, os corpos negros eram iluminados apenas pelos reflexos do fogo" (LESCURE;

MONIER-VINARD; CHARMOT, 1953, p. 522). "Acrescentou coisas tão horríveis que não se podem dizer ou escrever" (LESCURE; MONIER-VINARD; CHARMOT, 1953, p. 523).

Atente o leitor para o trecho que se segue:

Uma vez em que fui ao inferno, vi muitos padres, religiosos e religiosas que amaldiçoavam seus votos, suas ordens, seus superiores e tudo o que teria podido dar-lhes a luz e a graça que haviam perdido... Vi também prelados. Um se acusava a si mesmo de ter usado ilegitimamente de bens que não lhe pertenciam" (28 de setembro de 1922). "Padres amaldiçoavam a própria língua que consagraram, os dedos que tocaram em Nosso Senhor, as absolvições que haviam dado sem saberem salvar-se a si mesmos, a ocasião que os havia levado ao Inferno... Um padre dizia: "Comi veneno, servi-me de dinheiro que me não pertencia" e se acusava de ter usado o dinheiro que lhe haviam dado para missas, sem as dizer.

Josefa repara que a maioria das almas religiosas mergulhadas no abismo se acusavam de pecados horrendos contra a castidade, contra o voto de pobreza, uso ilegítimo de bens da comunidade (LESCURE; MONIER-VINARD; CHARMOT, 1953, p. 524).

São muitas e variadas as páginas da vidente católica nessa obra recomendada por uma Carta-Prefácio do papa Pio XII (LESCURE; MONIER-VINARD; CHARMOT, 1953, p. 11).

O estudante de Doutrina Espírita sabe que esses quadros tenebrosos do Além-Túmulo são reais. Os livros espíritas se referem a essas situações dolorosas dos desencarnados em subnível evolutivo. Várias obras de André Luiz (psicografadas pelo médium Francisco Cândido Xavier), como *Nosso Lar; Libertação, Ação e Reação,* entre outras, descrevem essas regiões de horror dos baixos planos do mundo invisível. Embora os relatos dessas visões do Além sofram maior ou menor deformação por parte dos médiuns que delas nos dão informações (filtragem), embora operem "a coloração da água simples e pura da verdade com os seus 'pontos de vista' e predileções pessoais no terreno da Ciência, da Filosofia e da Religião" (XAVIER, 1981), o que é compreensível aos que não desconheçam as leis do mundo mental,[45] o fato é que a revelação das baixas sociedades, do invisível, com seus pavores e vilezas, é autêntica, confirmando ensinamentos de todas as religiões.

---

[45] Nota do autor: Em sua obra *Mecanismos da mediunidade* (XAVIER; VIEIRA, 1984, cap. 17, p. 123-126), André Luiz apresenta valiosos esclarecimentos sobre a questão da filtragem mediúnica.

8 LEVITAÇÃO E OUTROS FENÔMENOS FÍSICOS NA VIDA DOS SANTOS

> As coisas misteriosas são as camadas de compreensão que se rarefazem — mas, havemos de espiritualizar-nos tanto, que as interpretaremos.
>
> (ARUEIRA, Nina. *Terceiro milênio*)

Segundo Edgard Armond (1969, p. 64), "a levitação[46] é o fato de pessoas ou coisas serem erguidas ao ar sem auxílio exterior de caráter material, contrariando assim, aparentemente, as leis da gravidade".

A interessante obra de De Rochas, *A levitação* (1953), esclarece sobre como se dá o fenômeno e seu mecanismo.

Um caso interessante de levitação aconteceu com Mauro, jovem discípulo do grande São Bento de Nórcia. O relato é do papa São Gregório Magno, biógrafo do famoso monge do Ducado de Espoleto:

Bento morava em 528 em um dos doze mosteiros, pouco afastado do lago de Sublac, quando o jovem Plácido, indo buscar água, caiu no lago; a água o levou para longe da terra, mais ou menos à distância que poderia ser coberta por um dardo. Ao saber do acontecido, Bento chamou imediatamente Mauro, dizendo-lhe: "Meu filho, corre; esse menino caiu no lago e a água o arrasta". Mauro pediu-lhe, como de costume, a bênção, correu até o lugar onde a água arrastava Plácido, e, agarrando-o pelos cabelos, voltou

---

[46] Nota de Flávio M. Tavares: Hermínio Miranda refere, em artigo na revista *Reformador* (jul. 1966), um trabalho de Oliver Leroy sobre levitação, em que aponta cerca de duzentos casos de santos que levitaram.

com o mesmo cuidado. Assim que alcançou a terra, olhou para trás e, VENDO QUE TINHA CAMINHADO SOBRE A ÁGUA, foi tomado de espanto. Contou o fato a São Bento, que atribuiu esse milagre à sua obediência. Mauro, porém, o atribuiu à ordem de seu superior, sustentando que não poderia ter parte em uma coisa que fizera sem perceber. Plácido decidiu a questão, dizendo: "Quando fui tirado da água, vi sobre minha cabeça a melote[47] do abade. E ele mesmo me tirava da água" (ROHRBACHER, 1960, v. 5, p. 192-193).

Tudo indica que o próprio São Bento, desdobrado, levitou e salvou o jovem Plácido, que chegou a vê-lo, como afirmou. Simultaneamente (quem sabe se numa conjugação de forças psíquicas?), o jovem Mauro também levitava, sem o perceber...

* * *

Frei Gerekinus, do convento de Alvastra, já muito idoso e de singular clarividência, percebendo a presença de Espíritos de alta hierarquia, "viu com os próprios olhos" — diz o biógrafo de Brígida — a realidade do que havia ouvido da Espiritualidade: certa vez em que Brígida estava orando na igreja do mosteiro, viu que ela se alçou no ar, carregada por forças invisíveis (*la vide sollevarsi in aria, portata da forze invisibili*), ao mesmo tempo que um clarão, como um relâmpago, saía de sua boca... (JØRGENSEN, v. 1, p. 116).

Outro testemunho é o de um frade lombardo, Giovanni di Pornacio, que um dia, numa estrada entre as Igrejas de São Juliano e Santa Cruz, viu Brígida muito iluminada. A claridade espiritual que a envolvia lhe feriu de tal modo os olhos que ele teve de desviá-los da visão sublime.

Foi esse Frei Giovanni que, outra vez, a encontrou nas vizinhanças do Coliseu, com seu pequeno séquito. Seus acompanhantes caminhavam naturalmente, "mas Brígida flutuava, qual navio levado pelas ondas" (*ma Brigida galleggiava come una nave portata dalle onde*) (JØRGENSEN, 1947, v. 2, p. 38-39).

---

[47] Nota do autor: A melote era uma pele de ovelha, que os monges traziam sobre os ombros.

Ainda outra vez, o mesmo eclesiástico a vê movimentar-se no espaço (*Umoversi attraverse l'aria*), numa igreja de Roma: celebrava-se a missa no altar dos Cônegos e, depois da leitura da Epístola, Frei Pornacio "a vê alçar-se do pavimento a uma altura de meio homem [sic] e mover-se novamente como um navio sobre as águas, na direção do *Sancta Sanctorum*".[48]

Esse frade prestou testemunho desses casos de levitação no processo de canonização da Santa, declarando ainda: "Eu estava à sua direita e a segui até o *Sancta Sanctorum*" (COLLIJN, 1931, p. 276 apud JØRGENSEN, 1947, v. 2, p. 38-39).

* * *

São inúmeros os casos de levitação na vida de São Pedro de Alcântara. Narraremos apenas alguns.

Quando superior do convento de Plasência — conta seu biógrafo —, costumava retirar-se a uma ermida da horta para com mais liberdade entregar-se à meditação e à oração. Certo dia, vieram visitá-lo o Marquês de Mirabel e o Conde de Torrejón, acompanhados de outros nobres cavaleiros. Não o encontrando em sua cela, dirigiram-se à referida ermida. Inopinadamente, pararam suspensos de admiração, porque, levantando os olhos, viram Frei Pedro a levitar, mas tão distanciado da superfície do solo que parecia elevar-se aos céus. Esse fenômeno foi acompanhado de outros aspectos: viram os nobres o santo envolto em brilhante claridade — mais provavelmente sua aura espiritual —, além de contemplarem, à sua volta, inumerável variedade de formosas avezinhas, entre sonoridades de suave música (VIDA, 1947, p. 48).

Fatos semelhantes aconteceram em Ávila, sendo muitos os testemunhos. Um desses fatos se deu na residência de Juan Blázquez, senhor

---

[48] N.E.: Capela papal situada no Palácio de Latrão, em Roma.

de Loriana, pai do Duque de Uceda e grande valido[49] do imperador Carlos V. Rogou-lhe esse nobre que assistisse ao casamento de um parente seu, a fim de abençoar os nubentes. Embora repetidamente se excusasse Frei Pedro, não pôde, por fim, desatender ao pedido de seu amigo. Terminada a cerimônia nupcial, e tendo o santo abençoado o casal, retirou-se Frei Pedro para um recanto isolado da nobre residência para suas orações. Pouco depois, sendo buscado pelos convivas, foi encontrado em êxtase, "suspenso o corpo no ar" — diz seu biógrafo —, e tão absorto que permitiu que todos os convidados às bodas fossem testemunhas do prodígio.

Outro fato se deu no Convento de Santa Ana, na mesma Ávila. Uma religiosa, muito estimada pelas suas virtudes, adoecera gravemente. Frei Pedro de Alcântara foi solicitado para celebrar missa pelo restabelecimento da enferma, na sala capitular daquela casa. Subiu ele ao altar e, relata ainda o hagiógrafo,

> *apenas iniciada a missa, lhe sobreveio tal recolhimento interior e tão grande fervor de devoção que, sem poder resistir, se elevou, qual estava, no ar, e assim permaneceu por espaço de três horas, envolto seu rosto em claríssima luz; após esse tempo, foi pouco a pouco descendo e, volvendo ao uso dos sentidos, pôde prosseguir o santo sacrifício, entre as lágrimas das boas religiosas, que, com imenso júbilo, contemplavam essas maravilhas (VIDA, 1947, p. 50-51).*

Outro caso de levitação se deu no horto de um convento espanhol, acompanhado de fenômenos luminosos. Era hábito do santo chantar cruzes nos pátios das casas religiosas, nos montes dos lugares onde pregava o Evangelho etc. Inspirava-lhe a visão da cruz os melhores sentimentos espirituais, recordando-lhe os martírios do Senhor Jesus. Um dia, diante de uma cruz do horto de um mosteiro, ajoelhou-se o santo para uma oração.

---

[49] N.E.: Que ou aquele que se coloca sob proteção de alguém mais poderoso; protegido (*Houaiss*).

Pouco depois, "começou a LEVANTAR-SE DO SOLO E, DESPEDINDO SEU ROSTO RAIOS DE LUZ E FOGO, SUBIU ATÉ TOCÁ-LA COM SEUS LÁBIOS." Acrescenta o hagiógrafo que a cruz se cobriu de grande esplendor e a estranha claridade inundou as cercanias, ao mesmo tempo que uma nuvem luminosa envolveu o busto do santo (VIDA, 1947, p. 57).

São muitos também os casos de levitação em que São Pedro de Alcântara atravessa, como se pisasse em terra firme, superfícies dos rios.

> *Algumas vezes, sem dar-se ele mesmo conta do prodígio, por ir absorto em altíssima contemplação, como lhe aconteceu ao dirigir-se de Alcântara a Garrovilhas, quando cruzou, dessa maneira, o Rio Tejo, num local de grande perigo (VIDA, 1947, p. 76).*

Esse fato repetiu-se no Rio Douro, quando regressava de Aldeia do Paio. Às vezes, entidades espirituais eram vistas em sua companhia, nessas ocasiões: "transportado por mãos de anjos", como diziam os que presenciavam o fenômeno. Às vezes, levitava em companhia de outras pessoas, que por ele eram sustentadas na travessia, com simples palavras: "Irmão, tenha fé; levante um pouco o hábito e siga-me". Uma vez, quando assim falou a um confrade, "começou o santo A CAMINHAR SOBRE AS ÁGUAS E ATRÁS SEU COMPANHEIRO, COM ADMIRAÇÃO DE MUITOS QUE, PELA FÚRIA DA CORRENTE, NÃO SE ATREVIAM A CRUZAR O RIO NEM DE BARCA" (VIDA, 1947, p. 76-77).

Outro biógrafo do santo, Frei Piat, também testemunha a levitação. Relata que quando Pedro ainda era um jovem de 16 anos, em viagem para o convento de Manjares, "anichado como ninho de águia nas montanhas que fazem divisa entre Castela e Portugal". O Rio Titar,

> *de águas grandes, engrossadas por uma tormenta, precipita-se impetuosamente. Era evidente que o rio estava intransitável. O homem, que guiava de uma margem à outra os viandantes, não se encontrava no lugar. Pedro deveria*

esperar na margem de cá, enquanto, provavelmente, os familiares lhe viriam ao encalço. Chama a Deus em auxílio imediato. Um vento rápido o envolve e o transporta à outra margem. Esse foi o primeiro exemplo de milagre que se repetirá muitas vezes em sua vida (PIAT, 1962, 16-17).

Frei Piat (1962) diz que foram tantas as pessoas que testemunharam o venerável frade espanhol "passar a pé enxuto o Guadiana, o Tejo, o Douro" que "o caso se tornou até anedótico. Os balseiros costumavam dizer aos clientes apressados: "Por que você não passa sem canoa como Frei Pedro de Alcântara?" (p. 64).

Outro fato notável foi o que se deu quando, meditando pelo caminho, chegou à confluência dos rios Alajón e Marete, cujas águas se haviam avolumado pelas chuvas. Relata Piat:

De ambas as margens lhe gritam que tome cuidado. Mas ele, inconsciente do perigo, continua seu passo indiferente, entra pelas ondas como se andasse em terra firme. Só no outro lado, diante da emoção e das manifestações do povo, É QUE PERCEBE O FENÔMENO e atribui toda a glória a Deus (1962, p. 64-65).

Diz ainda Piat sobre São Pedro de Alcântara:

Os habitantes se intrigam pelo halo de luz, que lhe aureola a fronte, veem-no ACIMA DAS COPAS DAS ÁRVORES, paralisado na contemplação do crucifixo. Aconteceu mesmo que, no convento de Pedroso, arrebatado pelo desejo de se unir em vítima ao Redentor, Frei Pedro, através do espaço, alcançou a cruz gigante que coroava lá em cima o cume do monte. Uma nuvem do Tabor parecia envolvê-lo, enquanto ele se oferecia, de braços abertos, ao beijo do divino Sofredor. O céu glorioso da Estremadura andou todo abrasado. E os frades, que pensavam no Estigmatizado do Alverne, ajoelham-se chorando no meio da massa popular que acorrera a ver o espetáculo (PIAT, 1962, p. 40).

Foto: Santo Afonso Maria de Ligório (de Liguori) (1696–1787)

O mesmo franciscano francês ainda cita outros exemplos de levitação na vida de São Pedro de Alcântara, apelando também para o testemunho de Santa Teresa de Jesus, que deu

> *o verdadeiro valor a toda essa florescência mística que tanto ocupou a atenção dos antigos biógrafos. Eles nos mostram Frei Pedro evadindo-se das leis da gravidade, planando em oração no cume da capela [...] durante horas inteiras, às vezes por dias inteiros, elevado acima do solo (PIAT, 1962, p. 43).*

8.1 Fenômenos físicos

Foi um fenômeno psíquico, dos chamados fenômenos físicos, que influiu decisivamente na conversão de um advogado famoso da Corte de Nápoles, o mesmo que seria depois universalmente conhecido por Santo Afonso de Ligório. Afirma-o seu biógrafo, padre José Montes, C.Ss.R.,[50] que assim historia o caso: um amigo de Afonso converteu-se à fé cristã, após uma vida moralmente irregular. Um dia, estando a orar na capela de um convento de Nápoles, percebeu a presença do Espírito de sua antiga companheira: "Estando ainda a rezar, eis que se apresenta a defunta e lhe diz: 'Não rezes por mim, porque estou condenada ao inferno'."

Continua o padre Montes:

> *Ao mesmo tempo, e como para confirmar suas palavras, pôs a mão sobre um quadro da Santíssima Virgem, que pendia da parede. A mão ficou impressa e a moldura carbonizada. Aquele quadro estava exposto na capela onde Afonso fazia os exercícios. Diante dele, concebeu o propósito de abandonar o mundo [...] (MONTES, 1962, p. 19).*[51]

---

[50] N.E.: Sigla da expressão latina *Congregatio Sanctissimi Redemptoris* (Congregação do Santíssimo Redentor), nome da congregação católica fundada por Santo Afonso de Ligório em 1732.
[51] Nota de Elias Barbosa: Em 1982, foi publicado, em Paris, o *Le saint du siècle des Lumières: Alfonso de Liguori* (1696–1787), de Théodule Rey-Mermet, C.Ss.R., com prefácio de Jean Delumeau, professor

Do cientista e filósofo italiano Ernesto Bozzano, há uma importante monografia sobre esse fenômeno, que ele denomina "impressões de mão de fogo", intitulada *Marcas e impressões de mãos de fogo*.⁵² O assunto mereceu a atenção do professor Charles Richet, que sobre esses fenômenos escreveu nos *Annales des Sciences Psychiques*, diz Bozzano. Apenas algumas breves palavras do eminente pensador italiano:

> *Não se poderia, certamente, explicar o fenômeno supondo que as impressões de mãos de fogo provam a presença de Espíritos que ardem nas chamas do Purgatório ou do Inferno, conclusões que satisfaziam completamente os teólogos dos séculos passados (BOZZANO, 1949, p. 155).*
>
> *[...] só resta uma hipótese rigorosamente científica, por meio da qual é possível considerar os fatos, e da qual já falei, isto é, a hipótese vibratória, que em nossos dias constitui também a mais maravilhosa revelação científica, graças à qual assistimos, espantados, aos milagres do rádio e da televisão. Se se pensa que o que chamamos calor e frio constitui um fenômeno único, que difere enormemente para nossos sentidos, em consequência da intensidade maior ou menor com que se produz, mister se faz deduzir daí que, se a tonalidade vibratória dos fluidos, de que se revestem os espíritos dos mortos para se tornarem visíveis e tangíveis, fosse consideravelmente mais intensa do que a inerente à substância viva ou aos tecidos vegetais, deverá inevitavelmente seguir-se que as vibrações muito intensas da substância espiritual, encontrando-se com as relativamente fracas dos tecidos vivos e vegetais, devam destruir estes últimos como o faria o fogo, o que determinaria os fenômenos das "impressões de mãos de fogo" (BOZZANO, 1949, p. 196).*

* * *

---

no Colégio de França, e traduzido, em maio de 1984, pelo Pe. José Braz Gomes, C.Ss.R. e por Carlos Felício da Silveira, com o título de *Afonso de Ligório: uma opção pelos abandonados* (Editora Santuário)

[52] Nota do autor: Publicada juntamente com três outras importantes monografias, no volume *Seleções*, de Ernesto Bozzano, pela editora Lake (1949).

Médium clariaudiente, Santo Afonso de Ligório ouviu três vezes — quando cuidava das feridas dos enfermos de um hospital, ao descer de suas escadas e na Igreja de Nossa senhora das Mercês — uma voz que o chamava para o ministério espiritual a que se entregou finalmente. Da primeira vez, diz seu biógrafo, o padre Montes, "sente-se de repente envolvido por uma luz vivíssima. Todo o edifício parecia estremecer". E, quando descia a escadaria do hospital, "de novo o deslumbrou o misterioso esplendor" (MONTES, 1962, p. 32-33).

Outro fenômeno luminoso se passa quando Santo Afonso pregava na Igreja dos Capuchinhos de Nápoles, fenômeno acompanhado da materialização do espírito de uma criança:

Um dia, no meio da pregação, viu Afonso, e com ele toda a multidão, aparecer no altar uma menina formosíssima, de seus treze anos. O mesmo prodígio repetiu-se várias vezes [...]. Falava Afonso sobre o patrocínio de Maria, quando, de repente, o rosto do pregador se ilumina. Um raio como de Sol parte da imagem e pousa sobre o orador. Esse espetáculo foi presenciado e testemunhado por milhares de pessoas (MONTES, 1962, p. 32-33).

* * *

Dom Bosco tinha um amigo muito íntimo, Luigi Comollo. Ambos haviam combinado que "um rezaria pelo outro e o primeiro que morresse deveria comunicar a notícia da própria salvação ao companheiro sobrevivente, caso Deus o permitisse". Assim diz Luigi Chiavarino, em seu interessante livro (1960, p. 62).

Comollo desencarnou na noite de 2 de abril de 1839, no Seminário de Chieri. A combinação que os dois amigos fizeram teve, inegavelmente, o beneplácito do Alto, pois a mensagem do Espírito de Luís Comollo foi trazida ao seu amigo Bosco, de maneira impressionante, como a oferecer ao companheiro sobrevivente e aos demais seminaristas uma prova extraordinária da sobrevivência da alma, por meio do que nós, espiritistas, denominamos fenômenos físicos, tão amplamente estudados na vasta e convincente bibliografia espírita.

Eis como o hagiógrafo Chiavarino descreve o impressionante fenômeno:

> *Na noite do enterro, enquanto Bosco e os companheiros dormiam, ao soar da meia-noite, ouviu-se um ruído cavernoso e prolongado que avançava do fundo do corredor, tornando-se cada vez mais tétrico e assustador, à medida que se aproximava. Dir-se-ia o barulho de um trem correndo sobre chapas de zinco.*
> *Os seminaristas acordaram, mas ninguém tinha coragem de falar.*
> *O ruído avançava sempre; de repente, a porta do dormitório escancarou-se: uma luz que se tornava cada vez mais viva apareceu no meio daquele estrondo surdo de trovão e se aproximou da cela de Bosco.*
> *Nesse ponto, o clarão fez-se vivíssimo, o tumulto cessou e ouviu-se ressoar, distinta, a voz do clérigo Comollo, que repetiu três vezes:*
> *— Bosco... Bosco... Bosco... eu estou salvo!*
> *Depois o fragor recomeçou mais intenso do que antes e se afastou. A porta bate assustadoramente; a casa toda tremeu, como que abalada por terremoto, e depois tudo ficou em silêncio.*
> *Os companheiros de Bosco pularam da cama e fugiram como loucos. Ele, porém, os chamou e os acalmou, contando lhes a promessa feita [...]* (CHIAVARINO, 1960, p. 62-63).

Henri Ghéon, autor de uma bela biografia de Dom Bosco, assim descreve o mesmo fenômeno:

> *Ora, na noite seguinte ao dia do enterro, os vinte companheiros de dormitório de João foram subitamente acordados por ruídos sinistros. Uma carroça,*

talvez um trem, rodava pesadamente no corredor, arremessava-se, quebrando-se num estrondo de artilharia, sacudindo o teto, o assoalho, fazendo surgir no dormitório um clarão fantástico que, de repente, brilhou maravilhosamente. Então, no meio do silêncio, ouviu-se uma voz doce, cantante, feliz, que um só compreendeu:

— Bosco, estou salvo.

Tendo projetado um último clarão, a luz apagou-se, voltando a algazarra. Pouco depois, tudo entrava novamente em ordem e foi em vão que João Bosco, radiante de alegria e gratidão, tentou convencer os companheiros (GHÉON, 1948, p. 86-87).

Achamos tão importante esse fato que pedimos ao leitor permissão para uma última descrição do fenômeno, feita pelo padre Auffray, em seu magnífico *Saint Jean Bosco*:

Os funerais se realizaram na tarde do dia três. À noite aconteceu um fato, impossível de ser posto em dúvida, tão grande o número de testemunhas. [...] Por volta da meia-noite, escreve ele mesmo [Dom Bosco], nosso dormitório, onde repousavam vinte seminaristas, foi subitamente abalado por um fenômeno terrificante. Ouvimos desencadear-se do fundo do corredor um estrondo, como se ali tivesse surgido uma pesada carreta, ou um enorme trem, desenvolvendo grande velocidade, ou o estrépito violento de peças de artilharia. Tudo tremia em torno dos seminaristas [Tout tremblait autour des séminaristes]. A casa, o dormitório, tetos e pavimentos pareciam sacudidos por monstruoso braço de ferro [La maison, le dortoir, plafonds e planchers semblaient secoués par un monstrueux bras de fer]. Repentinamente, a porta se abre. O tumulto invade o dormitório, avança, parecendo acompanhar um clarão oscilante de diversas cores [une lueur vacillante de teintes multiples]. Num dado momento, cessa o barulho. Faz-se completo silêncio. A luminosidade adquire um brilho extraordinário [la lueur prend un éclat extraordinaire]. E ante o espanto de todos os

> *seminaristas, que se escondiam, amedrontados, sob os lençóis, uma voz, ouvida por muitos, mas só compreendida por João, repete três vezes: "Bosco, estou salvo!". Uma imensa claridade encheu, então, todo o dormitório. O tumulto recomeçou mais violento ainda, como se a casa fosse desmoronar-se sob um temporal [comme si la maison allait s'écrouler sous la tempête]. Depois, tudo se foi distanciando, e desapareceu no silêncio da noite (AUFFRAY, 1947, p. 69-70).*

Outro fenômeno, comprovado pelo testemunho de centenas de pessoas, foi o dos "sinos que badalaram sozinhos". E relatado pelo padre Luigi Chiavarino.

Um dia, Dom Bosco levou seu grupo de rapazes para assistir à missa, na Igreja da Madonna di Campagna, dos Capuchinhos. Conta o hagiógrafo:

> *Quando o batalhão de 400 moços pôs os pés no vale que dá para o convento, os sinos do santuário começaram a repicar festivamente e de modo tão retumbante e alegre, como jamais se ouvira. A coisa causou admiração: todos os habitantes do lugar dirigiram-se para a Igreja. Os frades também acorreram muito surpreendidos, perguntando uns aos outros a razão daqueles sons: Quem os produzira? Quem os encomendara? Mas ninguém tinha dado ordens a esse respeito,* E NINGUÉM TINHA TOCADO OS SINOS; *portanto, chegaram à conclusão de que* TINHAM REPICADO SOZINHOS *(CHIAVARINO, 1960, p. 88-89).*

* * *

Outro fato que demonstra, insofismavelmente, os altos poderes psíquicos de Dom Bosco é o *das palmadas misteriosas*. Aqui, além do fenômeno físico — os meninos sentiram o toque da mão invisível — e da extraordinária clarividência, há que considerar também, muito provavelmente, o próprio desdobramento de Dom Bosco, dotado dessa faculdade e da bilocação. Leiamos o testemunho de padre Chiavarino (1960, p. 103):

Quando Dom Bosco se achava em Lanzo, escreveu ao teólogo Borel: "Domingo, os jovens Costa e Berreta saíram da Igreja pela porta da sacristia, durante as funções; dirigiram-se ao Rio Dora e foram tomar banho. Mas, enquanto se divertiam na água, receberam de uma mão invisível umas palmadas bem pesadas". Depois da leitura, o teólogo Borel chamou os dois rapazes; interrogou-os e eles confessaram, chorando, que as coisas se tinham passado precisamente como estavam descritas na carta. À volta de Dom Bosco, atiraram-se aos pés do santo, pedindo-lhe perdão.

8.2 Bicorporeidade (ou bilocação)

No seu *Vocabulário metapsíquico*, assim define o Dr. Lobo Vilela o fenômeno de bicorporeidade (ou bilocação):

Aparecimento simultâneo do mesmo indivíduo em dois lugares distintos. Foram fatos desta natureza que contribuíram para a canonização de Antônio de Pádua e Afonso de Ligório (VILELA, 1958, p. 172).[53]

O desdobramento[54] é o processo pelo qual o perispírito se exterioriza do corpo físico, ao qual permanece ligado por um liame fluídico. Pode

---

[53] Nota de Hércio M. Arantes: "No processo de beatificação de Afonso de Liguori [Ligório] se lê que esse bom servo de Deus foi miraculosamente assistir nos seus últimos momentos o papa Clemente XIV, no Vaticano, enquanto seu corpo, imóvel em um canapé, em Arienzo, estava absorto, em êxtase, do qual só saiu 24 horas depois, no preciso momento em que o pontífice expirava, isto é, às 7 horas da manhã de 22 de setembro de 1774. Teve o fato tão numerosas testemunhas que determinou a canonização de Afonso, antes do interregno exigido." (VESME, 1897 apud LOMBROSO, 1959).

[54] Nota de Hércio M. Arantes: Há um livro do Dr. Justinus Kerner, *A vidente de Prevorst* (original alemão: *Die Seherin Von Prevorst)*, Tradução de Carlos Imbassahy, Casa Editora O Clarim, Matão, 2. ed., 1979 — escrito em 1829, antes, portanto, do advento de *O livro dos espíritos*, sobre a vida de Frederica Hauffe, relatando, em sua vida, notáveis fenômenos mediúnicos, entre os quais a bilocação, a levitação, curas etc. [Corina Novelino, em sua obra *Eurípedes — o Homem e a Missão* (IDE, 8. ed., 1987, cap. 12, p. 135), esclarece: "Os famosos desdobramentos de Eurípedes, semelhantes aos de Antônio de Pádua, propiciavam aos sofredores a assistência do grande médium, nos processos de bilocação visível e tangível, frequentíssimos na sua missão excepcional." E, Dr. Inácio Ferreira, em seu livro *Subsídio para a história de Eurípedes Barsanulfo* (Uberaba, 1962, p. 22-24), relata dois casos de desdobramento e afirma: "Quantos e quantos exemplos documentados poderíamos apresentar do *corpo fluídico*, de Eurípedes, à cabeceira de um enfermo, quando o seu corpo material, inanimado, continuava em Sacramento."

ser voluntário ou inconsciente. Segundo Edgard Armond, pode ocorrer em processos hipnóticos, durante o sono, emoção profunda ou desejo de desencarnar. Na vida dos santos, tal fenômeno é observado, principalmente, nas situações de êxtases místicos.

* * *

Há inúmeros casos de desdobramento na vida de Santo Antônio de Pádua. Seu biógrafo, padre Jean-Antoine At, relata que Santo Antônio ainda era frade agostiniano, quando, achando-se em meditação, um dia, teve a visão de São Francisco de Assis, que, desdobrado, lhe apareceu em Coimbra: "São Francisco, que se achava na Itália, apareceu-lhe numa visão miraculosa, relatada por muitos historiadores; e anunciou-lhe, da parte de Deus, que ele devia entrar na religião dos frades menores" (AT, 1951, p. 21-22).

Dom Alfonso Salvini, outro biógrafo do missionário português, relata o mesmo fato, afirmando que Santo Antônio reconhecera no "frade de rosto magro de asceta", que lhe aparecera em Santa Cruz de Coimbra, o "Poverello" (SALVINI, 1954, p. 61).

Relata o padre Jean-Antoine At outro desdobramento, este do seu biografado:

Quando Santo Antônio era guardião em Limonges, durante a semana santa, na noite da Ceia, na igreja da cidade, chamada de São Pedro dos Quatro Caminhos, antes da aurora, semeava ele a palavra de vida nas almas que se reuniam em torno de seu púlpito. À mesma hora, cerca de meia-noite, os frades menores cantavam em seu convento as matinas do ofício do dia. Ora, o guardião, Santo Antônio, estava designado para ler uma lição de matinas. Já os frades haviam chegado à lição que Santo Antônio devia ler, quando, de repente, ele apareceu no meio do coro, e em voz solene pôs-se a cantar a lição. Todos os Frades presentes ficaram espantados, e com razão; porque sabiam que, a essa hora, [ele] estava ocupado num arrabalde da cidade, a pregar ao povo. O poder de Deus fez que ele, no mesmo instante, estivesse com seus irmãos no coro, onde cantava uma lição, e na Igreja de São Pedro, no meio da multidão, sobre a qual espalhava as sementes do Evangelho (AT, 1951, p. 72-73).

Dom Salvini faz outros relatos sobre o fenômeno da ubiquidade[55] na vida de Santo Antônio de Pádua:

Em Saint-Pierre de Aneyroix,[56] enquanto Antônio apareceu no meio do coro para ler a lição do Breviário, estava também na igreja pregando. Notou-se, porém, que ele ficou imóvel no púlpito durante todo o tempo da leitura (SALVINI, 1954, p. 131).

Dom Salvini relata o desdobramento de Montpellier, também citado por Jean-Antoine At:

Na época em que o santo dava aulas aos frades de Montpellier, deu-se o seguinte: achava-se ele na Igreja repleta, pregando ao povo e aos eclesiásticos. Nem bem iniciara a sua pregação, quando se lembrou de que deveria estar no coro de sua Igreja para cantar um verseto, tarefa que ninguém estava preparado para desempenhar, visto ele não se ter lembrado de dar o encargo a ninguém. Sentou-se, então no púlpito como se fosse descansar, como fazia habitualmente, e cobriu o rosto com o capuz. Nesse mesmo tempo os frades do coro do convento viram-no aparecer e cantar o Aleluia. A coisa foi depois controlada e compreendeu-se então que o Senhor repetira com ele o prodígio pelo qual Santo Antônio comparecera às exéquias de São Martinho, e São Francisco estivera presente ao Capítulo de Arles (SALVINI, 1954, p. 131).

---

[55] N.E.: Faculdade que tem o Espírito de se irradiar para dois ou mais lugares ao mesmo tempo. Ver *O livro dos espíritos*, q. 92.
[56] Nota do autor: Salvini (1954, p. 145) cita o mesmo caso, mas denomina a Igreja de São Pedro da Queyroix.

Foto: Santa Teresa de Jesus (d'Ávila) (1515–1582)

Muito conhecido também é o caso de bilocação em que Santo Antônio, estando em Pádua, e sabendo de que familiares seus eram acusados de horrendo crime, desdobrou-se, achando-se horas depois em Lisboa para defender os seus. Naquela época, lembra-se Salvini (1954, p. 169), "três meses não seriam suficientes para percorrer a distância entre Pádua e Lisboa". O codificador da Doutrina Espírita, Allan Kardec, em seu *O livro dos médiuns* (2ª parte, cap. VII), também se refere a esse fenômeno de bicorporeidade, explicando que

> *tudo o que ficou dito das propriedades do perispírito após a morte se aplica ao perispírito dos vivos. [...] O Espírito, quer o homem esteja vivo, quer morto, traz sempre o envoltório semimaterial que, pelas mesmas causas de que já tratamos, pode tornar-se visível e tangível.*

* * *

Um fato extraordinário atesta a poderosa clarividência de Santa Teresa de Jesus, tanto quanto a potencialidade mediúnica de São Pedro de Alcântara. Este valoroso missionário espanhol (1499–1562), um ano antes de sua desencarnação, apareceu, desdobrado, à grande mística de Ávila, como ela mesma declara: "Un año antes de morir se me apareció, estando ausente" (VIDA, 1947, p. 43).[57]

Outro caso de desdobramento de São Pedro de Alcântara é citado por Frei Stéphane Joseph Piat (1962, p. 93), em sua biografia do *Anjo da paz*. O autor católico usa, mesmo, a palavra bilocação, definindo corretamente o fenômeno: "Em outras oportunidades ainda, encontramo-lo junto de

---

[57] Nota do autor: "Teresa d'Ávila recebe a visita de amigos desencarnados e chega a inspecionar regiões purgatoriais, através do fenômeno mediúnico do desdobramento" (XAVIER, 1982, cap. 174).

Madre Teresa. Primeiro, para resolver dificuldades [...]; depois, por bilocação, sem que deixasse Arenas, para resolver um caso espinhoso".

* * *

Doutra feita, Santa Clara de Montefalco, arrebatada em êxtase, transportou-se até o Convento de Colfiorito e citou os nomes de dois frades que lá se achavam, também injustamente presos por culpa de indignos companheiros da ordem. Em Montefalco, as freiras ouviram quando Clara, em êxtase, gritou os nomes de Frei Tomás e Frei Tiago. E, de fato, posteriormente se verificou ser tudo verdadeiro (TARDY, 1881, p. 162).

8.3 Materialização

> [...] se processa pela condensação do ectoplasma, que, no ensinamento de Gustave Geley, um dos mais sérios experimentadores de efeitos físicos, "se apresenta em primeiro lugar, para a observação, com a aparência de uma substância amorfa, ora sólida, ora vaporosa; depois, muito rapidamente, de um modo geral, o ectoplasma amorfo se recompõe, tornando assim possível o aparecimento de novas formas, as quais possuem, quando se completa a materialização, as características anatômicas e fisiológicas dos órgãos biologicamente iguais aos dos vivos: o ectoplasma torna-se pois um ser ou uma fração do ser, o qual por sua vez depende sempre do organismo do médium, organismo esse de que é uma espécie de prolongamento e em que se dá a sua reabsorção tão logo termine a experiência" (PAULA, 1972, p. 121).

O padre Jean-Antoine At, em sua *História de Santo Antônio de Pádua*, relata um caso de entidades devotadas ao mal que se materializaram nas imediações de um convento:

> *Um dia, quando os frades, depois do Canto de Completas, preparavam--se para a oração mental, o irmão que acabava de tocar o sino, para este exercício, viu um bando de malfeitores a devastar a seara de um dos principais amigos do convento. Correu logo a comunicá-lo a Antônio. Este, porém, muito ao invés de incomodar-se, disse tranquilamente aos irmãos: Ide para o coro e fazei a vossa oração conforme as prescrições da Regra, sem vos ocupardes do suposto dano que se causa ao nosso vizinho. Esses malfeitores são demônios que com tal estratagema quereriam roubar-vos um tempo precioso e privar-vos das consolações da presença de Deus (AT, 1951, p. 74-75).*

* * *

Notável fenômeno de materialização é narrado pelo padre Martial Lekeux, OFM, em sua biografia de Santa Francisca Romana (1384–1440). Essa missionária de Roma realizou em companhia de sua amiga Vanozza e outra oblata uma peregrinação a Assis, franciscanas da Ordem Terceira que eram. Puseram-se a caminho sem recursos materiais, esmolando pelos caminhos de Roma à Terra do "Poverello". Relata, então, Lekeux:

> *Quando entraram na campanha de Foligno, deteve-as um pequeno franciscano pobrezinho de olhares celestes, que caminhava em sua direção. "Aonde ides, minhas irmãs?" Francisca, segundo seu costume, antes de responder, dirigiu o olhar para o anjo:[58] imediatamente se tornou resplandecente e sorriu ao monge. E eis*

---

[58] Nota do autor: O mesmo autor fala de um Espírito angélico que acompanhava habitualmente Santa Francisca Romana, fazendo-se ver e ouvir em momentos importantes.

que este, por sua vez, cercou-se de luz e se pôs a falar-lhes do amor e da paixão de Cristo com tão ardente fervor, que elas reconheceram nele o seráfico Pobrezinho e caíram de joelhos. Em seguida, como estivessem com sede as peregrinas, com a mesma bondade extraordinária que lhe era peculiar em sua vida mortal, deu-lhes uma bonita fruta e, depois de abençoá-las, desapareceu, deixando-lhes na alma uma alegria que as acompanhou até o fim da peregrinação (LEKEUX, 1954, p. 65-66).

* * *

O padre Armando Gualandi, em sua biografia de São Francisco de Paula, também registra o caso da materialização do espírito de um frade franciscano. São Francisco de Paula estava em trabalhos de construção de um convento, na propriedade paterna, nas cercanias de Paula. O Bispo de Cosenza, que havia abençoado o projeto, foi em pessoa marcar os limites do edifício.

Trabalhava-se alegremente nesta obra, quando, de improviso, apareceu no meio dos operários um frade franciscano. "Filhos, que fazeis?", perguntou o recém-vindo. "As dimensões traçadas são muito estreitas: segui-me e marcai os novos alicerces". Inopinadamente tinha aparecido e assim também desapareceu (GUALANDI, 1954, p. 11-12).

8.4 Um caso de materialização narrado por um escritor protestante

Num volume intitulado *Átomos da paz*, edição protestante da Casa Publicadora Batista, de Santo André, São Paulo, o autor, José Nunes

Siqueira, relata um interessantíssimo caso de materialização de uma entidade espiritual.

Conta o escritor, às páginas 79 e 80 de seu livro, que

> dois pregadores do Evangelho se dirigiam de automóvel para uma cidade, onde realizariam, à noite, uma conferência sobre a segunda vinda de Jesus, e sobre esse tema inspirador conversavam todo o tempo.
>
> A meio do caminho, notam os pregadores que, a um lado da estrada, um cavalheiro bem-trajado fazia sinal indicando querer uma passagem na direção da cidade. Param o carro. Ao continuar a viagem, continuam também a palestra que já vinham mantendo a respeito da conferência da noite sobre a vinda de Jesus. Num dado momento, o estranho passageiro, que foi alvo da cortesia cristã dos pregadores, faz-lhe a seguinte pergunta:
>
> — Os senhores vão pregar hoje à noite sobre a vinda de Jesus?
>
> — Sim, e essa mensagem de fé e de esperança enche o nosso coração de profunda felicidade!
>
> — Pois os senhores fiquem sabendo que a volta de Jesus está muito mais perto do que imaginam.
>
> Diante de tais palavras pronunciadas com muita solenidade pelo estranho cavalheiro, os pregadores, surpresos com a mensagem de advertência que lhes estava sendo dada, voltaram os olhos para trás para conhecerem melhor o inesperado companheiro de viagem, e sua surpresa se tornou maior, pois não viram mais a ninguém. O passageiro havia desaparecido como por encanto.
>
> Os dois pregadores concluíram que Deus lhes havia enviado um anjo em forma humana para lhes dar uma poderosa advertência sobre a proximidade da volta de Jesus.
>
> Desnecessário é afirmar que os dois pregadores naquela noite anunciaram com grande poder a maior mensagem de esperança da Palavra de Deus sobre a segunda vinda de Jesus para estabelecer Seu reino de paz e justiça

entre os homens. E muitos foram os corações que naquela noite se entregaram a Jesus.

Com aqueles dois pregadores do Evangelho se cumpriu o que está escrito: "O anjo do Senhor se acampa ao redor dos que o temem e os livra".

Com essa referência do Salmo 34, versículo 7, o escritor encerra sua narrativa de um perfeito caso de materialização.

9 PSICOFOTISMO E OLORIZAÇÃO NA HAGIOGRAFIA

> *O pagão procura se unir a todo sensível para dele retirar exaustivamente a alegria: ele adere ao mundo. O cristão só multiplica seus contatos com o mundo para captar ou receber as energias que conduzirá ou que o conduzirão ao Céu. Ele pré-adere a Deus.*
>
> (Teilhard de Chardin, *O meio divino*)

O Dr. Lobo Vilela conceitua psicofotismo como as "luzes que acompanham as aparições ou quaisquer fenômenos luminosos de caráter supranormal" (1958, p. 185).

Clara de Montefalco, após pronunciar breves palavras, sentindo chegar o momento do seu trespasse ("Permanece todos vós com Deus, para Quem eu vou "), foi envolvida, repentinamente, por uma luz que desceu do Alto. Os circunstantes sentiram calafrios acompanhados de júbilo, diz seu biógrafo. A luz celeste tomou, aos poucos, a forma de um globo que também, lentamente, se elevou aos ares, fazendo recordar aos presentes o carro de fogo de Elias (TARDY, 1881, p. 191).

* * *

Fenômeno luminoso semelhante foi presenciado por São Vicente de Paulo, como narra seu biógrafo, padre Guilherme Vaessen (1946, p. 80), C.M.[59]

---
[59] N.E.: Congregação da Missão (*Congregatio Missionis*) ou Ordem dos Lazaristas, fundada por São Vicente de Paulo em 1624.

Foto: São Vicente de Paulo (1581–1660) | Retrato de Simon François, de 1660, na sede dos Lazaristas, em Paris.

Vejamos o texto que relata a visão:

Quando Vicente soube que Santa Joana de Chantal estava para morrer, ajoelhou-se e implorou a Deus por ela. No mesmo instante lhe apareceu um pequeno globo luminoso que se elevava da terra e ia unir-se, mais alto, a um globo maior e mais luminoso; e os dois, reduzidos a um só, sempre subindo mais alto, foram entrando e sumindo-se em outro globo ainda muito maior e mais luminoso. Compreendeu que o primeiro globo era a alma de Joana, o segundo a do santo bispo[60] e o terceiro, a Essência divina. Celebrando, depois, a santa missa e rezando, no momento dos mortos, pela defunta, teve a mesma visão e assim, como ele mesmo o declara, se persuadiu de que aquela alma era bem-aventurada e não precisava de orações.

* * *

O conhecido e venerável médium Francisco Cândido Xavier também tem tido visões de entidades espirituais elevadas, de que percebe apenas a irradiação em forma de globo ou sol luminoso. Várias vezes isso lhe tem sucedido, não só em sessões mediúnicas como quando se encontra em meditação ou oração.

* * *

Santa Clara de Montefalco tinha uma irmã consanguínea, que era abadessa do Convento da Santa Cruz, onde ela vivia. Joana, além de irmã,

---

[60] Nota do autor: Refere-se o padre Vaessen ao Bispo de Genebra, Francisco de Sales, que fora instrutor espiritual de Joana. O bispo desencarnara em 1622 e Joana de Chantal, em 1641. De Francisco de Sales incluiu Allan Kardec em *O evangelho segundo o espiritismo*, cap. V, preciosa e instrutiva mensagem — "A melancolia", assinada por François de Geneve (Francisco de Genebra). Descobrimos, recentemente, que assim habitualmente assinava o famoso bispo, conforme dois autógrafos seus publicados na obra católica *El verdadero rostro de los santos* (SCHAMONI, 1952, p. 340-341).

era sua grande amiga e mestra carinhosa. Quando a abadessa Joana morreu, no dia 22 de novembro de 1291, Clara caiu em grande abatimento, ficando inconsolável. Durante os três dias que se seguiram ao traspasse da irmã, não fez outra coisa senão chorar (*tre giorni continui non fece che sparger lacrime di dolore*).

Vejamos agora o que diz o seu biógrafo:

No final do terceiro dia, estava a Beata Clara em oração, após as matinas, quando percebeu alguém caminhando para o oratório. Teve a impressão de que eram passos da beata Joana. Chamou-a, então, e ela respondeu: "Clara". Clara perguntou: "Não estás morta?". "Sim"— respondeu a irmã — "estou morta, mas a morte é uma passagem para o paraíso, onde me alegrarei eternamente em meu Deus". Clara ouviu a voz da irmã, mas, não enxergou senão uma grande chama, que pousou depois sobre sua cabeça. Então, sentiu que dela se apossou uma repentina calma e seu pranto se converteu em alegria e agradecimento a Deus (TARDY, 1881, p. 59).

Fenômenos luminosos se sucedem na vida de Santa Clara de Montefalco. Aos seus 27 anos, numa sexta-feira, depois das completas, após uma exposição no capítulo do convento acerca da virtude da humildade, três irmãs da comunidade, Marina, Luzia e Andríola, foram testemunhas de um fenômeno de luz transcendental. Viram essas três irmãs "uma brilhantíssima coluna de fogo a pousar por algum tempo sobre a cabeça de Clara". Uma outra monja, irmã Joana, que não estava perto, percebeu o fenômeno através das frestas de sua janela, tão intenso foi o clarão da coluna luminosa (TARDY, 1881, p. 130).

Outro fenômeno, conta o biógrafo, numa outra sexta-feira do mesmo ano, também no capítulo, foi testemunhado não mais por três ou quatro freiras, mas por "todas as monjas":

um fulgidíssimo clarão em figura de meia lua corou instantaneamente o rosto de Clara e, pela transfusão de raios, como em Moisés, viram irradiante, por algum tempo, a face da mesma Clara (TARDY, 1881, p. 130).

* * *

Piat (1962), referindo-se a São Pedro de Alcântara, afirma que as pessoas se intrigavam por causa do "halo de luz que lhe aureola a fronte" (p. 39-40). Outra vez o surpreenderam "resplandescente de luz; na fronte, como que trazia um reflexo de céu" (p. 45).

* * *

A OLORIZAÇÃO é a produção de aromas concomitantes ou não com a clarividência ou clariaudiência.

Fenômenos de olorização se misturam, muitas vezes, às manifestações de clarividência.

Quando Santa Brígida de Vadstena (JØRGENSEN, 1947, v. 1, p. 228), numa visão em Skara, na Suécia, percebe os Espíritos de Maria e do bispo Brynjolf, também um delicioso perfume desce do altar até ela (*Ma dall'altare um delizioso profumo scese verso Brígida*).

* * *

Na infância de Santa Clara de Montefalco, conta seu biógrafo Lorenzo Tardy (1881, p. 20-21), aconteceu que, ao passar um dia a mística italiana, criança ainda, no colo de sua mãe (*in braccio alia madre*), diante da igreja de São João Batista, sentiu que dali se irradiava um prodigioso perfume.[61] A

---

[61] Nota de Elias Barbosa: Sobre olorização, não nos esqueçamos de que é famoso "o perfume da Scheilla" de que é veículo o amigo de todos nós, Chico Xavier (XAVIER, Francisco Cândido. *Encontros no tempo*. Espíritos diversos. 4. ed. Araras: IDE, 1985, q. 121, 122 e 125; PIRES, J. Herculano.

menina desceu do colo materno e correu até o altar. Tinha entre quatro e seis anos.

* * *

O célebre escritor francês Léon Denis, em sua notável obra *Joana d'Arc (Médium)* (FEB, 12. ed., p. 47), fundamentado no *Processo de condenação* da donzela de Domremy (J. Fabre, 9º interrogatório secreto, p. 187), afirma:

> [Joana] *Não só vê e ouve maravilhosamente, como também sente pelo tato e pelo olfato as aparições que se apresentam:* "Toquei em Santa Catarina, que me apareceu visivelmente", *diz.* "Beijaste ou abraçaste Santa Catarina ou Santa Margarida?", *perguntam-lhe.* "Abracei-as ambas. Rescendiam perfumes! É bom se saiba que rescendiam perfumes".

Chico Xavier: o homem futuro. *Planeta*, São Paulo, n. 10, jun. 1973, p. 62; RANIERI, R. A. *Materializações luminosas*. 3. ed. São Paulo: Lake, 1989, p. 38-39).

10 MONIÇÕES E PREMONIÇÕES DOS SANTOS

> *Deus nada faz fora da Lei. Mas dotou suas leis de força suficiente para que façam tudo conforme a Sua vontade. Sua vontade inclui milagres ilimitados. Cabe a nós aprender a Sua vontade e procurar a simplicidade e a beleza das leis que liberam o Seu poder.*
>
> (SANFORD, Agnes. *A luz divina nos cura*)

Monição, segundo o Dr. Lobo Vilela (1958, p. 181), é a "advertência que ocorre acidental e subitamente a pessoas no estado normal, a respeito de qualquer acontecimento, passado ou presente".

Referindo-se a acontecimentos futuros, diz-se *premonição* ou *precognição*.[62]

Husslein (1951, p. 59), em seu *Heroínas de Cristo*, atribui ao fenômeno de monição a quebra da resistência de Robert de Baudricourt aos pedidos da jovem Joana d'Arc, no início de sua missão. Conta o hagiógrafo:

> *Santa Margarida, Santa Catarina e São Miguel lhe haviam aparecido e comunicado que era expresso desejo de Deus que ela [Joana] salvasse a França. E por isso a Donzela insistia em avistar-se com Baudricourt, que poderia ajudá-la a levar a cabo sua empresa. Este, porém, se recusou a escutá-la até o dia em*

---

[62] Nota de Elias Barbosa: *Precognição*, livro de Adelaide Petters Lessa (São Paulo: Duas Cidades, 1975), por se tratar de uma tese de doutoramento apresentada ao Instituto de Psicologia da Universidade de São Paulo, em 1972, oferece-nos vasta bibliografia sobre o assunto.

que ela pôs em evidência sua divina missão, anunciando-lhe as recentes derrotas francesas de Rouvray e Orleans, antes que qualquer mensageiro tivesse chegado do local dos acontecimentos. Quando poucos dias depois a notícia foi confirmada, o valente Capitão Governador se deu, finalmente, por vencido e, oferecendo-lhe uma escolta de sete homens, enviou-a ao Rei...

Foi assim, com um fato mediúnico, que Joana d'Arc iniciou sua missão. E foram justamente esses fatos mediúnicos que motivaram a sua condenação como herege.[63]

* * *

São inúmeros os casos de precognição na vida de São Pedro de Alcântara. Eis alguns, relatados numa pequena, mas bem escrita biografia do grande místico espanhol (VIDA, 1947, p. 44).

Em Plascência, falecera um grande amigo do santo, o Conde de Torrejón. A viúva e a filha única, algum tempo após, viram-se em dificuldades para atender às diversas propostas de casamento feitas à jovem órfã. Considerando a intimidade com Frei Pedro, a condessa lhe expôs o assunto e ainda lhe confidenciou quais eram as propostas de seu maior agrado. O monge de Alcântara lhe respondeu: "Muito boas me parecem todas essas propostas, mas nenhuma delas se concretizará, pois sua filha se casará com Dom Gonçalo de Carvajal". Mas como este nobre há bem pouco contraíra matrimônio, replicou a condessa. "Padre, se Dom Gonçalo é casado e sua esposa é tão jovem, como poderá suceder o que me diz?"

"É Deus quem tudo pode" — respondeu o santo —; "pode morrer a jovem senhora e será como eu o digo". O fato é que assim

---

[63] Nota do autor: Diz Pernoud (1953, p. 47): "Quais eram verdadeiramente as razões que fizeram condenar Joana como herética? A sentença da condenação enumerava doze, as quais podem levar às seguintes conclusões: Joana pretende ter tido visões: São Miguel, Santa Catarina e Santa Margarida, que lhe apareciam fisicamente e suas revelações lhe permitiam CONHECER O FUTURO".

aconteceu algum tempo depois, e a predição se cumpriu, contra todas as probabilidades.

A um amigo seu, com quem se encontrou na rua, chamou-o à parte e, "falando-lhe mais com o coração que com os lábios", aconselhou-o a preparar-se para a morte "antes da manhã". Esse amigo pôde compreendê-lo, agradeceu-lhe o conselho e, de fato, desencarnou poucas horas depois.

Dois outros fatos semelhantes são relatados por Frei Stéphane Piat (1962, p. 65).

Vários outros casos de precognição são relatados em suas biografias, ocorridos em Oropesa, em Baeza e outras cidades de Espanha.

Vejamos ainda um caso, acontecido com uma senhora de Estremadura, cujo esposo, militar, achava-se na América, nas guerras do Peru. Sabendo ela dos perigos por que passavam os espanhóis, buscou Frei Pedro, que a tranquilizou com estas e outras palavras: "Não se aflija, senhora; alegre-se em Deus e dê-lhe muitas graças. Numa batalha, em que os espanhóis saíram vencedores, seu marido dela saiu livre e são, e retornará ao seu lar".

Poucos meses depois, com sua volta à Espanha, "o militar confirmou em todas as suas partes a predição que havia feito São Pedro de Alcântara", diz o hagiógrafo (PIAT, 1962, p. 46). Em Arenas, apareceu um dia, desdobrado, a um amigo, benfeitor do convento, Dom Baltazar de Frias, que lhe rogara, numa oração, a saúde de um filho seu. E disse-lhe:

> *Venho porque me chamaste; quero dizer-te que não é da vontade de Deus que gozes por muito tempo da presença deste seu filho. Agora, para teu consolo, ele ficará curado, mas morrerá breve. Dou-te este aviso para que te conformes com a divina vontade.*

Realmente, o menino curou-se, repentinamente, gozou de completa saúde durante um ano, e logo após morreu, confirmando a predição do santo (CHIAVARINO, 1960, p. 80).

10.1 Premonições – Profecias

Na vida de São João Bosco, os fenômenos premonitórios se manifestam desde a infância, quando o menino João se empregou num sítio da família Moglia, em Castelnuovo. Foram várias as suas predições que se cumpriram com exatidão. Mais tarde, já estudante, vindo visitar sua antiga patroa, encontra-a gravemente enferma, a queixar-se de que "sua hora chegara". O jovem João despersuade-a com estas palavras: "Tenha coragem, patroa, e esteja sempre de bom humor, que viverá até aos 90 anos" (CHIAVARINO, 1960, p. 64).

E realmente — conta Chiavarino — ela sobreviveu ao próprio Dom Bosco, vindo a falecer com 91 anos. E era chamada "a velhinha de Dom Bosco".

Outros fatos, inúmeros, são narrados pelo mesmo autor, inclusive a profecia da missão de João Bosco feita pelo cônego Cottolengo, no início da vida de nosso santo em Turim.

> *— O senhor tem uma batina de pano muito leve; trate de arranjar outra mais forte e consistente, a fim de que os jovens que o seguirem possam agarrar-se a ela sem perigo de rasgá-la. Dia virá em que ela será puxada e rasgada por muita gente!*
> *E despediu-o sorrindo. Dom Bosco sorriu também porque entrevia naquelas palavras uma verdadeira profecia, uma verdadeira confirmação dos seus sonhos que, aliás, não demoraram muito para se tornar realidade.*

Em meados de 1844, uma mulher tuberculosa estava internada no Hospital de São João, em Turim. O estado de sua alma não era melhor que o de seu físico. Dom Bosco se interessa pela doente, instando pelo seu arrependimento. E prediz: "Em nome de Deus eu lhe digo que, na Sua misericórdia, Ele lhe concederá ainda poucas horas de vida, a fim de que a senhora possa pensar na sua alma". E foi com essas palavras francas que a enferma se reconciliou com Deus, antes de desencarnar, naquela mesma noite...

Poucos dias após esse fato, na Igreja de São Francisco, na mesma cidade, recomendou à embaixatriz portuguesa em Turim, que não o conhecia e nem dele era conhecida, que se confiasse à proteção de seu anjo da guarda "para que a preserve de todos os males, durante o que lhe acontecerá hoje". De fato, tendo de viajar no mesmo dia, quase foi vítima de um desastre, numa carruagem: os cavalos se assustaram, precipitando-se em carreira desabalada. O cocheiro caiu da boleia e os cavalos corriam sem direção. Lembrou-se, então, a senhora da predição de Dom Bosco e recorreu à proteção de seu anjo guardião. Os animais sustaram a correria impetuosa e nada aconteceu à senhora, nem à filha nem a uma auxiliar, para espanto dos que acudiram a socorrê-las. Só de volta a Turim, ficou sabendo a embaixatriz que o confessor que lhe fizera tão perfeita predição fora Dom Bosco (CHIAVARINO, 1960, p. 76).

* * *

Dizia Dom Bosco de um discípulo seu, Gabriel Fassio, de 13 anos, jovem de excelente moral e sincero devotamento religioso:

— Como ele é bom!... Mas morrerá breve.

De fato, algum tempo depois, o rapaz adoecia gravemente e nos últimos instantes clamava: "Ai de Turim! Ai de Turim!"

Os seus colegas pediram-lhe explicação daquelas palavras estranhas. E o agonizante explicou, em sua predição: "Um terremoto terrível no dia 26 de abril. Ai de Turim!"

E ainda pôde dizer: "Orem a São Luís, em favor do Oratório e dos que o habitam". E desencarnou.

Foram feitas as orações solicitadas pelo companheiro que partiu. E chegou o dia 26 de abril de 1852. Escreve o padre Chiavarino (1960, p. 119):

Por volta do meio-dia, um estrondo tremendo, ouvido a 15 milhas de distância, abalou a cidade, escancarando portas e janelas sem deixar um vidro intacto. O depósito de pólvora explodiu: o desastre foi tão grande que pouco faltou para que Turim ficasse reduzida a um montão de ruínas. A casa do Oratório, porém, só a 500 metros do depósito, ficou intacta e os rapazes, refugiados nas ruas e nos prados adjacentes, salvaram-se todos.

* * *

Antes de 1870, quando se completou a unificação da Itália, Dom Bosco havia previsto os acontecimentos políticos resultantes do *Risorgimento* e suas implicações para a Igreja Romana. Chamado pelo papa, a quem escrevera sobre o assunto, São João Bosco anunciou a Pio IX os acontecimentos que realmente se verificariam em futuro próximo. Conta o padre Luigi Chiavarino (1960, p. 160):

Anunciou a terrível batalha entre a França e a Prússia; predisse que as tropas de Napoleão seriam retiradas de Roma; falou da queda do Império Francês e das grandes catástrofes que se desencadeariam sobre a França [...].

Perguntou ainda ao papa se poderia prosseguir com suas revelações. Mas Pio IX, comovidíssimo com as predições, pediu-lhe que não continuasse.

Outro fato histórico notável é a predição feita a Francisco II, o destronado rei de Nápoles, por Dom Bosco, em 1867, por ocasião de sua visita a Roma. É narrado por Chiavarino e por Auffray. Resumâmo-lo.

Eram amplamente conhecidos os dons mediúnicos de Dom Bosco, embora a designação de mediunidade não apareça, obviamente, na vastíssima fenomenologia de caráter irrefutavelmente mediúnico, que permeia toda a vida do santo de Castelnuovo d'Asti.

A convite de Francisco II, Dom Bosco comparecera a um ato religioso no Palácio Farnese. Após a missa, Dom Bosco dirigiu a palavra ao pequeno auditório, recordando a primazia dos bens espirituais sobre os deste mundo. Após a breve prédica, o rei destronado das Duas Sicílias perguntou, à queima-roupa, a Dom Bosco, se recuperaria o trono. "Se Vossa Majestade quiser que eu lhe fale claramente, direi que não subirá mais ao trono". E depois de curto diálogo, concluiu, segundo Auffray: "Vossa Majestade não verá mais Nápoles ".[64]

O rei baixou os olhos, resignado, mas a rainha, ao que parece, não se conformou com a predição do santo, chegando a dizer-lhe que esperava dias melhores, confiando nos seus partidários napolitanos.

Mas a verdade é que a profecia de Dom Bosco uma vez mais se cumpriu, na íntegra. Quando os piemonteses chegaram a Roma, os soberanos buscaram refúgio em Paris, onde Francisco II veio a morrer, em 1894. A rainha morreu em Munique, capital de sua pátria, em 19 de janeiro de 1923. Ambos nunca mais puderam ver Nápoles. A predição de João Bosco se cumpriu com inteira precisão.

* * *

De Santo Antônio de Pádua, também se contam fatos referentes ao dom da profecia. Seu biógrafo Dom Alfonso Salvini, OSB (SALVINI, 1954, p. 132), refere-se a um caso acontecido durante a permanência do apóstolo franciscano na França. Em Puy, vivia um notário de vida escandalosa. Antônio, porém, respeitava-o e tratava-o com singular deferência. Isso irritou o tabelião de vida irregular. O santo, porém, explicou-lhe que, no futuro, não só ele se converteria à fé cristã como ainda morreria por ela, na condição de mártir, em terra estrangeira. O notário não acreditou na profecia; ela, porém, se cumpriu com toda a exatidão. Anos mais tarde, o tabelião seguiu para Jerusalém em companhia do bispo de Le Puy, onde não só se converteu à fé cristã como foi morto depois de três dias de terríveis tormentos, nos quais deu testemunho de sua crença.

---

[64] — Donc la conclusion est que...
— Que votre Majesté ne reverra jamais Naples (AUFFRAY, 1947, p. 327-328).

* * *

O padre Bougaud (1926, p. 318-321), vigário-geral de Orleans, em sua biografia de Santa Margarida Maria Alacoque, apresenta diversos casos de premonição da famosa vidente de Paray-le-Monial. Citamos dois:

Certa vez, palestrava com um seu primo, que ingressara recentemente na ordem dos dominicanos e que se mostrava muito jovial, quando uma sua parenta tentou impedi-lo de expandir-se em tanto contentamento. Margarida contrapôs-se com estas palavras: "Deixai-o rir, que estas são as suas últimas alegrias, pois lhe resta pouco tempo de vida". E, de fato, passados poucos dias o moço domínico morreu de repente.

Também previu sua morte nos princípios de 1690. Chegou a indicar mesmo, com alguns meses de antecedência, as duas companheiras do mosteiro em cujos braços se despediria do mundo: Rosália Verchère e Peronne Rosália de Farges. E assim aconteceu, no dia 17 de outubro de 1690, tal como fora predito por ela.

10.2 Monições e premonições

Um fato notável de monição é registrado na vida de santa Brígida de Vadstena. Estava ela em Roma, pela Páscoa de 1350, com sua filha Karin (a futura Santa Catarina da Suécia, ou Santa Catarina de Vadstena). Peregrinavam ambas pelos lugares que recordavam a passagem dos mártires cristãos e as igrejas das *stazioni*,[65] quando, em dado momento, Karin abraça sua mãe, a soluçar, entre as declarações de afeto filial e expressões de saudade de seu esposo e de seu lar. É nesse momento que, tranquilizada a filha, Brígida lhe diz, num sussurro: "Há uma coisa que te devo dizer, ó

---

[65] N.E.: O autor se refere às Igrejas das Estações de Roma (*Le Chiese Stazionali di Roma*).

minha Karin, uma coisa que eu sei, porque me foi revelada pelo Senhor. Karin, o teu Eggert morreu!".

De fato, Eggert von Kyren havia morrido naquela mesma Sexta-Feira Santa, muito longe dali, na distante Suécia... Disso vieram ambas a ter confirmação, pouco tempo depois — conta Jørgensen (1947, v. 2, p. 56) — por peregrinos vindos da Escandinávia, que lhes trouxeram a lutuosa notícia.

Outro caso de monição ou, se preferimos, de metagnomia (o conhecimento paranormal de Richet) encontramos na vida da mesma Santa Brígida. Em Roma, era muito procurada pelos pobres, que dela recebiam socorros generosos, de acordo com as suas possibilidades. Certo dia, à porta de uma igreja, um grande números de necessitados esperava a vidente sueca. Um deles, que carregava consigo uma criança, multiplicando queixumes, aproximou-se dela: "Um vintenzinho, senhora, para este pobre filhinho!" Brígida — conta o mesmo hagiógrafo (JØRGENSEN, 1947, v. 2, p. 38) — olhou firmemente os dois e respondeu: "Não é teu filho... tu o roubaste para despertar a piedade das pessoas quando mendigas..." E na verdade assim era. O menino era um pequenino judeu, sequestrado pelo infeliz fura-vidas para explorar a caridade pública. Descoberto o rapto, Brígida providenciou amparo para o pequenino.

Não só monições, mas ainda fenômenos premonitórios aparecem na vida de Santa Brígida.

Em Roma, depois de algum tempo, tivera que deixar a residência que lhe fora emprestada pelo Cardeal de Beaufort. Uma fase de tão grandes dificuldades se apresentou, que Brígida e sua filha se preparam para buscar refúgio num dos recolhimentos públicos para peregrinos. É quando surge sua grande amiga, Francisca Papazuri, que a amparou no momento das mais angustiosas necessidades. Essa amiga era viúva de um nobre romano e havia sido sua companheira de peregrinações a Assis e ao Santo Sepulcro. Possuía a viúva Papazuri uma casa em Campo de Fiori, um verdadeiro palácio.

Quando Brígida se achou — conta seu biógrafo — com seus acompanhantes no *palatium magnum* da nobre e generosa amiga, visitando suas inúmeras dependências — a torre, os jardins, as construções laterais, a casa anexa chamada *turricella* —, recordou-se imediatamente de que já havia visto tudo aquilo! E, voltando-se para a benfeitora e amiga, disse-lhe:

> *Francisca, quando eu me encontrava em Arras e velava meu esposo Ulf, durante sua enfermidade, me foi mostrada numa visão uma grande casa e uma voz me disse: "Nesta casa, tu terminarás teus dias!". Francisca, era justamente este teu palácio que eu vi então [...] (JØRGENSEN, 1947, v. 2, p. 102-103).*

São inúmeras as profecias e premonições que aparecem na vida de Santa Brígida. Conta Jørgensen que ela previu, muito tempo antes, a hora exata da morte de um velho amigo seu, o frade Gerekinus. E, com essa premonição, o anúncio de provações coletivas para sua pátria: declarou a Gerekinus que Deus lhe pouparia do espetáculo das desgraças que se abateriam sobre a Suécia. E tudo aconteceu conforme as afirmativas da Santa. O monge desencarnou na hora anunciada, e pesado carma coletivo teve sua pátria que resgatar. Brígida assistiu à desencarnação do seu venerando amigo, que, na hora extrema de sua existência, terrena teve interessante visão. Distinguiu, no seu leito de morte, uma faixa dourada, onde estavam escritas apenas três letras: POT ... Gerekinus compreendeu a significação dessas três letras. Exclamou — e foram suas últimas palavras: "Vem, irmão Pedro! Vem, irmão Olaf! Vem, irmão Thordo!". Fechou os olhos para este mundo. Eram as iniciais dos nomes de três companheiros seus. Dentro de apenas sete dias, exatamente uma semana, os frades Pedro, Olaf e Thordo o seguiram nos caminhos da outra vida (JØRGENSEN, 1947, v. 1, p. 132).

É uma longa história a luta travada por Santa Brígida, por meio de cartas e avisos espirituais, com Gregório XI, sempre a instar com o papa que deixasse a comodidade sibarítica de Avignon e retornasse a Roma. Brígida insistia e insistia, usando os mais enérgicos argumentos espirituais, na volta de Pierre Roger de Beaufort, o pontífice, a Roma: importava *venire Romam*. Ninguém, na antiga capital do Império, acreditava no restabelecimento do papado em Roma. Isso mesmo disse à vidente sueca o nobre romano Roberto Orsini: "ninguém acreditava que Gregório voltasse a Roma; ele estava muito bem em Avignon!" (JØRGENSEN, 1947, v. 1, p. 258).

Brígida o contestou logo, conta Jørgensen: "E eu te digo, Roberto, que o papa voltará a Roma e tu mesmo o verás!". Cinco anos depois — a História o confirma —, era o primogênito dos Orsinis que não só assistia à entrada do papa em Roma, mas ainda conduzia pelo freio o ginete de Gregório XI!

10.3 Dom de profecia

Após a morte do papa Benedito (Bento) XI, conta o biógrafo de Santa Clara de Montefalco que, por ocasião do Conclave de Perusa, falava-se na possibilidade de ser escolhido para novo pontífice o bispo Sutrino. Ao contarem essas murmurações a Clara, esta predisse que seria escolhido um estrangeiro. Isso de fato aconteceu, com a eleição do bispo de Bordéus, mais tarde, Clemente V, que transferiu a sede da Igreja para a França.

Predisse ainda a inesperada promoção de seu bispo, Nicolau Alberino, à dignidade cardinalícia, como também a privação do cardinalato a Giacomo Colonna no pontificado de Bonifácio VIII e também, posteriormente, sua reintegração por Clemente V (TARDY, 1881, p. 158).

* * *

Diz o franciscano Frei Stéphane Piat, a respeito de São Pedro de Alcântara:

Não é menos notável seu dom de profecia. Francisco de Córdoba é convidado, em pleno campo, pelo santo, a se confessar e pôr em dia os negócios pessoais. O homem obedeceu. No dia seguinte de manhã, morre repentinamente (PIAT, 1962, p. 65).

"Santa Teresa", conta o mesmo autor, "inspirada por Deus já lhe dissera [a São Pedro de Alcântara] que ele haveria de morrer dentro de um ano" (PIAT, 1962, p. 99). E assim aconteceu.

11 ONIROFANIA, MEDIUNIDADE DE VÁRIOS SANTOS

> *O exame da inspiração genial, seja durante o sono, seja no estado de vigília, prova-nos que essa descentralização ligeira [...] permite-lhe manifestações mais elevadas, se bem que, frequentemente, menos acessíveis à consciência normal, menos facilmente por ela utilizáveis e irregularmente percebidas.*
>
> (GELEY, Gustave. *O ser subconsciente*. Cap. 4, XI.)

Se buscarmos nas enciclopédias saber quem foi Cedmon, elas nos informarão, sem mais íntimos esclarecimentos, que foi um monge anglo-saxão que viveu no século VII e foi o autor das mais antigas poesias escritas em língua inglesa.

Quem foi, no entanto, esse monge?

Na obra do padre Rohrbacher, *Vidas dos santos* (1960, v. 3), dele ficamos sabendo que viveu na Abadia de Whitby, ao tempo da Abadessa Hilda, e ali prestava serviços como simples criado. "Era um homem dócil, silencioso e desajeitado. De canto, por exemplo, não tinha a menor noção. Quando chegava a hora de cantar, nos dias de festa, temeroso de que o convidassem, deixava o recinto e ia trancar-se no seu quartinho".

No convento, conhecida sua modéstia, não insistiam com ele para que cantasse. Um dia, no convento, convidando a abadessa as freiras para os cânticos sagrados, o humilde servidor afastou-se, tímido, do refeitório, e dirigiu-se para o estábulo da abadia, sentando-se num monte de feno.

Pôs-se a pensar na sua incapacidade para cantar os hinos sacros e entristeceu-se com suas meditações. Acabou por dormir. E sonhou.

Damos a palavra ao escritor eclesiástico:

Sonhou que um homem, formoso e imponente, lhe aparecia no estábulo. Olhava-o com ternura, e, sorrindo, pediu-lhe:

— Cedmon, por favor, canta-me alguma coisa!

— Cantar-te alguma coisa?

— Sim, peço-te que me cantes algo.

— Eu? Cantar? Eu não sei, não posso!

— Ora, sabe, sim! — Insistia o homem. — Tu podes, Cedmon! Canta-me o que quer que seja, sim?

— E que devo cantar? — perguntou.

— Canta a obra da Criação!

Cedmon, então entrou a cantar, a louvar o Criador. E, fazendo-o de modo até então desconhecido, deleitou-se como jamais. Quando estava para terminar, acordou. Impressionado, lembrando-se de tudo, miraculosamente terminou o hino.

À abadessa, Cedmon, com toda a simplicidade, contou o sonho, repetindo-lhe a composição.

— Recebeste de Deus, Cedmon — disse a abadessa, assim que o servente do mosteiro terminara o hino —, recebeste de Deus um dom especial para a poesia. E dando-lhe algumas passagens da Bíblia, pediu-lhe que as pusesse em versos. Cedmon trabalhou um dia inteiro, terminando a tarefa. Tão bem se desincumbiu que Hilda, comovida e enternecida, colocou-o num mosteiro, como monge, para que se desse ao estudo dos livros santos. Todas as poesias de Cedmon eram duma força desconhecida. A doçura, mais o poder de expressão, davam-lhe um toque celestial. Cedmon foi monge obediente, devoto e humilde. Santa e mansamente, faleceu em 680 (ROHRBACHER, 1960, v. 3, p. 162-163).

* * *

Aí temos o fenômeno mediúnico da inspiração por meio do sonho, o que pode ser chamado de "mediunidade onírica". Toda a *Bíblia* está cheia de exemplos de revelações transcendentais por meio do sonho.

Disse o Senhor a Aarão e a Miriam: "Se entre vós houver profeta, Eu, o Senhor, em visão a ele me farei conhecer, ou em sonhos falarei com ele" (Números, 12:6).

Também no *Livro de Jó* (33:14,17) se diz que

Deus fala uma e duas vezes [...] em sonho ou visão de noite, quando cai sono profundo sobre os homens e adormecem na cama; então, abre os ouvidos dos homens e lhes sela a sua instrução, para apartar o homem do seu desígnio [...].

Não menos incisivo é o trecho encontrado no profeta Jeremias (23:28): "'O profeta que tem um sonho conte o sonho; e aquele em quem está a minha palavra, fale a minha palavra com verdade. Que tem a palha com o trigo?', diz o Senhor."

No capítulo 4 do livro do profeta Daniel, expõe-se como o profeta hebreu interpretou o "sonho da árvore grande" do rei Nabucodonosor da Babilônia, sonho profético historicamente cumprido.

No *Livro de Joel* (cap. 2), há uma promessa divina de efusão de dons espirituais: "vossos filhos e filhas profetizarão, os vossos velhos terão sonhos, os vossos mancebos terão visões" (2:28).

* * *

O Evangelho se apresenta, desde suas primeiras páginas, com insofismáveis exemplos de mediunidade onírica.

Após visitarem José, Maria e o divino Infante, os magos que vieram do Oriente são "por divina revelação avisados em sonhos para que não voltassem para junto de Herodes [...]" (MATEUS, 2:12).

Em José Nazareno, o fenômeno mediúnico de revelações espirituais se processa comumente por meio de sonhos: sua primeira experiência foi quando tentou deixar secretamente Maria, antes do nascimento de Cristo. "E projetando ele isto, eis que em sonho lhe apareceu um anjo do Senhor, dizendo: José, filho de Davi, não temas receber a Maria, tua mulher [...]" (MATEUS, 1:20).

Após a retirada dos magos do Oriente,

eis que o anjo do Senhor apareceu a José em sonhos, dizendo: Levanta-te, e toma o menino e sua mãe, e foge para o Egito, e demora-te lá até que eu te diga, porque Herodes há de procurar o menino para o matar (MATEUS, 2:13).

Após a morte de Herodes, novamente

o anjo do Senhor apareceu num sonho a José no Egito, dizendo: Levanta-te, e toma o menino e sua mãe e vai para a terra de Israel; porque já estão mortos os que procuravam a morte do menino (MATEUS, 2:19-20).

E na viagem de retorno, receando ir para a Judeia por lá reinar Arquelau, foi novamente "avisado em sonhos por divina revelação", seguindo para a Galileia (MATEUS, 2:22).

Cláudia Prócula, esposa de Pilatos, também recebe avisos espirituais em sonho e procura impedir que seu marido, o governador da Judeia, intervenha na condenação de Jesus: "E estando ele [Pilatos] assentado no tribunal, sua mulher mandou-lhe dizer: Não entres na questão desse justo, porque num sonho muito sofri por causa dele" (MATEUS, 27:19).

11.1 Mediunidade onírica

Na vida de São João Bosco, os sonhos representam papel importantíssimo. Sua mediunidade onírica surgiu aos 9 anos de idade, com o famoso sonho que define seu destino espiritual e que foi o primeiro de uma série infinda de manifestações desse tipo, de sua multíplice mediunidade.

O padre Luigi Chiavarino (1960), que conheceu Dom Bosco e viveu anos a seu lado até a sua desencarnação, escreveu Os *sorrisos de Dom Bosco*, onde relata inúmeros dos famosos sonhos mediúnicos do grande missionário italiano, inclusive alguns de caráter brizomântico,[66] ou profético.

Eis o sonho dos 9 anos de idade: Encontrava-se o menino João num pátio muito vasto, onde se reuniam muitas crianças que brincavam, riam, brigavam e blasfemavam.

"Ao ouvir blasfêmias, Joãozinho meteu-se no meio deles e não poupou socos nem palavras para os fazer calar."[67]

Nesse instante, apareceu

> um homem venerando, de idade viril, vestido com apuro. Cobria-o, ao longo de todo o corpo, um manto branco; mas o seu rosto era tão luminoso que o não podia fitar. Chamou-me pelo nome e mandou que me pusesse à testa daqueles meninos, acrescentando estas palavras:
> — Deves cativar estes bons amigos, não com pancadas, mas com a mansidão e com a caridade. Começa, pois, a fazer-lhes imediatamente uma prática sobre a fealdade do pecado e sobre a preciosidade da virtude.
> Atrapalhado e amedrontado, Joãozinho perguntou:
> — Quem sois vós que me ordenais coisas impossíveis?

---

[66] N.E.: Que diz respeito à brizomancia (adivinhação pelos sonhos).
[67] Nota do autor: Valemo-nos, no resumo do sonho, das informações do padre Chiavarino, do próprio relato de Dom Bosco, transcrito na biografia do padre José Carlos de Sousa Alves Vieira (1959), e de Auffray (1947, p. 22).

— As coisas que hoje te parecem impossíveis, tu as tornarás possíveis um dia, quando conquistares a ciência. Eu mesmo te darei a Mestra, em cuja escola te podes tornar sábio, e sem a qual toda sabedoria se torna loucura.

O cenário se transforma, então. Os meninos se tornam lobos, ursos, cães... "De repente", relata o próprio Dom Bosco, "vi ao seu lado uma senhora de aspecto majestoso, revestida de um manto todo resplandecente, como se cada parte dele fosse uma fulgidíssima estrela".

A senhora de semblante majestoso disse-lhe então:

Não tenhas medo, Joãozinho; este que vês é o campo do teu trabalho; deverás fazer com os meus filhos o que me verás fazer agora com estes animais. Olha quantos meninos há diante de ti. Torna-os humildes e ao mesmo tempo fortes e robustos. Transforma-os em outras tantas ovelhas.

Diz Chiavarino:

João volveu então o olhar e viu que os animais ferozes se tinham tornado ovelhas mansas, as quais saltando e bailando alegremente, agradavam a senhora que, pousando a mão sobre a cabeça de Joãozinho, acrescentou:
— Coragem, meu caro; chegando o tempo, compreenderás tudo!
E desapareceu.

O sonho dos 9 anos foi a preanunciação da obra missionária de Dom Bosco. E durante sua existência de 73 anos (1815-1888), foi principalmente por meio de sonhos, o que quer dizer "por meio de sua mediunidade onírica", que ele recebeu avisos, auxílios e orientação para a sua grande tarefa de apóstolo. Seu eminente biógrafo, Auffray (1947, p. 275), em sua obra *Saint Jean Bosco*, escreve que "milhares de testemunhos afirmam que Deus falava a esse humilde padre, durante a noite, em sonhos". E cita a observação do padre Lemoyne: "Falar sobre Dom Bosco e não se referir a seus sonhos seria provocar uma onda de protestos. E os sonhos? — perguntariam todos os seus antigos discípulos, estranhando tal omissão".

Outro fato notável é ainda narrado por Chiavarino (1960, p. 41-42). É famosa, atestada por todos os seus biógrafos, a memória de Dom Bosco. O caso seguinte, porém, atesta a existência de algo além de sua pujante memória.

Estudante ginasiano, sonhou certa noite que lhe haviam dado um tema e que ele, Bosco, o explanava. Acordou, deixou o leito e escreveu o tema do sonho, que era um trabalho em latim. Traduziu-o, em seguida, e depois voltou à cama, continuando seu sono interrompido.

Pela manhã, no ginásio, teve ele a surpresa de verificar a exatidão de seu sonho: o professor ditou justamente o tema com que sonhara, e em latim. Rapidamente, o jovem João redigiu novamente, em aula, o que já havia feito de madrugada. Diante da rapidez com que compusera o dever, ante a admiração do mestre e dos colegas, com sua simplicidade habitual, Bosco confessou o sonho que tivera e como tudo aconteceu, em aula, tal qual sucedera em sonho.

Fato perfeitamente semelhante ainda aconteceu outra vez, com o estudante João Bosco, no ginásio, para espanto de todos.

Outro sonho famoso de Dom Bosco, sonho histórico, foi o referente à morte de vários membros da família real do Piemonte, por volta de 1854 (antes da unificação italiana) (CHIAVARINO, p. 135-137).[68]

Sonhara que estava no pátio do oratório, em companhia de outros eclesiásticos, quando viu chegar, de uniforme vermelho, um emissário da Corte, que lhe disse: "Grande notícia!". Dom Bosco perguntou-lhe: "Qual?".

"Anuncia: grande enterro na Corte", respondeu o estranho valete, desaparecendo.

---

[68] Nota do autor: O mesmo fato é narrado por Auffray, 1947, p. 319.

Cinco dias mais tarde, novo sonho de Dom Bosco com a mesma estranha criatura de libré vermelha, que lhe disse e repetiu as seguintes palavras: "Anuncia: não grande, mas grandes funerais na Corte".

Dom Bosco, que recebera o emissário em seu escritório — assim se passava no sonho —, viu-o sair, rapidamente, fechando a porta. Correu, então, à sacada para perguntar ao mensageiro a razão daquele aviso funéreo. Ainda chegou a vê-lo e ouviu uma vez mais o triste anúncio: "Grandes funerais na Corte!".

O notável missionário era amigo do rei do Piemonte, Vítor Emmanuel II (mais tarde, com a unificação, rei da Itália). Já lhe havia, por carta, comunicado o primeiro sonho. Escreveu-lhe novamente, solicitando também a não aprovação da Lei Ratazzi, que suprimia as ordens religiosas no Piemonte e confiscava seus bens.

Dos últimos dias de 1854 aos primeiros de 1855, houve a apresentação do projeto e sua discussão.

Apesar dos constantes pedidos, após demoradas discussões, a lei foi aprovada. Mas, nesse ínterim, o sonho de Dom Bosco se foi cumprindo: a rainha-mãe, Maria Teresa, adoeceu naqueles dias e faleceu no dia 12 de janeiro, aos 54 anos de idade. Seus funerais realizaram-se no dia 16 e na tarde desse mesmo dia, adoece a rainha, Maria Adelaide, que desencarnou no dia 20 com apenas trinta e três anos. O príncipe Fernando, irmão do rei, logo adoece, vindo a falecer na noite de 11 de fevereiro, com a mesma idade de sua cunhada, a rainha. E no dia 17 de maio, a Casa de Saboia é enlutada pela quarta vez: falece um filho do rei. Assim, em quatro meses, Vítor Emmanuel II assistiu a quatro funerais na Corte de Turim: mãe, esposa, irmão e filho deixaram este mundo... Cumpriu-se, assim, mais um sonho de Dom Bosco.

* * *

Há um interessante caso de mediunidade onírica na Igreja Católica. Este caso é narrado em um folheto editado pela Livraria Clássica Brasileira (Rio de Janeiro, 1955), chamado: *Carta do além*, com o imprimátur eclesiástico.

Foi originariamente escrito em alemão (*Brief aus dem Jenseits*), pelo Doutor em Teologia Bernhardin Krempel, C.P., de Treves, Alemanha, que assim se expressa no prefácio:

> *A carta do Além, transcrita abaixo, conta a história da condenação eterna de uma jovem.*
>
> *A carta em apreço foi encontrada tal qual entre os papéis de uma freira falecida, amiga da jovem condenada. Relata a freira os acontecimentos da existência da companheira como fatos históricos sabidos e verificados, e sua sorte eterna comunicada em sonho. A Cúria diocesana de Treves autorizou sua publicação como sumamente instrutiva.*

A seguir a própria freira relata como se deu a captação da mensagem. Na noite da missa em intenção da alma de sua companheira, teve um sonho em que deixara a moça uma carta contando os seus sofrimentos após a morte.

De vida leviana e agnóstica, a companheira da freira, após violento acidente automobilístico, veio a desencarnar. Permanecendo em região de muito sofrimento, relata em sonho para a freira, por meio de uma carta, os tormentos do que denomina inferno, inclusive de sua convicção de que as penas que sofria seriam eternas.

A despeito de sua interpretação dogmática sobre o que com ela ocorria, as descrições que faz sobre seu sofrimento e sobre as condições das regiões trevosas ou inferno, onde se encontrava, podem ser comparadas às descrições de André Luiz em seus diversos livros.

Assim diz o Espírito comunicante:

O nosso maior tormento consiste em que sabemos exatamente que nunca veremos Deus.

Todas as almas não sofrem igualmente. Quanto mais frívolo, maldoso e decidido alguém foi no pecar, tanto mais lhe pesa a perda de Deus, e tanto mais torturado se sente.

Quem sabia mais, sofre mais do que aquele que menos conhecimento tinha.

Quem pecar por maldade sofre mais que aquele que caiu por fraqueza.

Mas nenhum sofre mais do que mereceu.

É realmente notável a mediunidade onírica da freira que, lendo a carta em sonho, pôde transcrevê-la ao acordar.

Outro fato notável que temos percebido é a incontestável universalidade dos fenômenos psíquicos.

* * *

A mediunidade onírica foi um dos aspectos das múltiplas faculdades psíquicas de Santa Catarina Labouré.

Certa vez, conta um seu biógrafo, Husslein (1951, p. 134-135), ainda jovenzinha, sonhou que, indo à capela de sua cidade natal, Fain-les-Moutiers, na Borgonha (França), um venerável sacerdote acabava de celebrar a missa. Quando descia ele os degraus do altar, de repente se deteve e, sorrindo, convidou a menina a aproximar-se. Catarina, estranhando o gesto, assustou-se e saiu da capela. Dirigiu-se, então, diretamente à casa de uma amiga enferma. Entrou no quarto desta e — oh! surpresa! — novamente viu o mesmo ancião, o sacerdote de cabelos brancos, de pé, junto ao leito. Ele voltou a sorrir-lhe e, estendendo-lhe a mão, disse-lhe: "Filha minha, fazes bem em cuidar dos enfermos. Agora me evitas, mas dia virá em que te alegrarás de vir a mim. Deus tem desígnios a teu respeito. Não o esqueças!" E logo pareceu esfumar-se. Esse o sonho.

A jovem Catarina, ou Zoé, como era chamada familiarmente, nunca se esqueceu do sonho incompreensível. Mais tarde, quando em visita à Casa de Caridade de Paris, surpreendeu-se com um retrato suspenso à parede. E exclamou: "O mesmo sacerdote que vi em sonho!" E ficou sabendo, pelo padre Prost, que o ancião dos seus sonhos era São Vicente de Paulo: "os mesmos olhos sorridentes, a mesma boca amável que lhe havia falado, o mesmo rosto coroado de cabelos brancos, cheio de bondosa compreensão, que ela havia contemplado em sonho..."

12 MEDIUNIDADE CURATIVA NA IGREJA CATÓLICA

> *A luz de Deus brilha tanto dentro de nós como fora de nós e, ao aprender a recebê-la dentro de nós, começamos a percebê-la fora de nós.*
>
> (SANFORD, Agnes. *A luz divina nos cura.*)

O sábio suíço Raul Montandon, em sua obra *As radiações humanas* (Feli Alcan, Paris, 1927), afirmando que o magnetismo curador já era praticado desde a mais remota antiguidade, refere-se a baixos-relevos e pinturas do antigo Egito em que figuram as práticas da cura magnética pela imposição das mãos. E cita o caso de um papiro de Tebas em que foi encontrada uma longa fórmula, cuja tradução, em resumo, é a seguinte: "Coloca tua mão sobre o doente para lhe acalmar a dor e dize que a dor se vá".

O Evangelho de Cristo é um dos mais inequívocos depoimentos a esse respeito. Foram inúmeras as curas que Jesus praticou e Seus seguidores, desde os longínquos dias apostólicos até hoje, muito especialmente nos templos espíritas-cristãos, continuam sua obra de caridade por meio da terapêutica magnética.

Os servidores de Cristo, em todos os tempos (inclusive os nossos), por meio da oração e da comunhão espiritual com o mundo maior, têm realizado inúmeras curas.

O famoso cientista francês, Alexis Carrel (Prêmio Nobel de Fisiologia e Medicina, 1912), no seu pequeno e encantador trabalho *A oração, seu poder e efeitos* (Livraria Tavares Martins, Porto, Portugal, 1945), relata inúmeros casos de efeitos curativos da oração. Diz ele:

> *A oração tem, por vezes, um efeito que poderemos chamar explosivo. Há doentes que têm sido curados quase instantaneamente de afecções tais como o lúpus facial, o câncer, infecções renais, tuberculose pulmonar, tuberculose óssea, tuberculose peritoneal, etc. O fenômeno produz-se quase sempre da mesma maneira: uma grande dor e, em seguida, a percepção de se estar curado. Em alguns segundos ou, quando muito, em algumas horas, os sintomas desaparecem e as lesões orgânicas cicatrizam (p. 34).*

É a palavra de um cientista, de um sábio que se transportou do ceticismo para o campo da fé pela evidência dos fatos que presenciou e que relata em suas conhecidas obras: *O homem, esse desconhecido; Milagres de Lourdes* etc. Diz ainda Carrel:

> *A história dos santos, mesmo dos mais modernos, relata-nos muitos fatos maravilhosos, e não há dúvida de que a maior parte dos milagres atribuídos, por exemplo, ao Cura d'Ars são absolutamente verídicos (p. 35).*

* * *

É imenso o rol dos santos da Igreja, detentores da mediunidade curativa. Aqui está uma lista do padre Rohrbacher: Santo Abrão, o Ermitão, curava os doentes. O bem-aventurado André de Gallerani realizou curas maravilhosas. São Cuteberto, bispo de Lindisfarne, na Inglaterra, também realizou extraordinárias curas. Igualmente, São Turíbio de Mongrovejo, espanhol, arcebispo de Lima. O bem-aventurado Tomasso, no século XIV, realizou curas admiráveis na Úmbria. São Ludgero, bispo de Munster e contemporâneo de Carlos Magno, curou o cantor cego Bernlef, o Jovem. São Ruperto, primeiro bispo de Salisburgo; São João do Egito; São Gontrão, rei da Borgonha e neto de Santa Clotilde; e Santo Eustáquio curaram cegos, portadores de várias enfermidades, possessos (ROHRBACHER, 1960, p. 79, 166, 170, 235, 298 e 305).

* * *

Afirma Frei Francisco de Jesus Maria Sarmento (1955, p. 15) que Santa Genoveva restituiu a vista à sua mãe, que repentinamente a havia perdido.

* * *

Entre as faculdades psíquicas de Santo Afonso de Ligório, era notável sua mediunidade curativa. Foram inúmeras — relata seu biógrafo, Padre Montes (1962) — as curas efetuadas pelo missionário napolitano.

Certa vez, no Seminário de Nola, curou um cego:

Havia entre os visitantes um certo Miguel Brancia, que perdera a vista há longos anos, sem que os médicos e remédios lhe valessem. Brancia pediu a Afonso lhe fizesse o sinal da cruz na fronte. Fê-lo o bispo e imediatamente o cego deu um grito, aturdido pela luz. Recobrara a vista (MONTES, 1962, p. 128).

Outra vez, usa o processo tão conhecido e generalizado nos templos espíritas: a água magnetizada (ou fluidificada, como também é chamada). Diz ainda o padre Montes:

A superiora de um dos conventos de Santa Águeda estava atacada de câncer. Os médicos tinham-na desenganado. A enferma só pensava em

> *dispor-se para a morte e mandou um recado a Afonso pedindo-lhe que rogasse a Deus por ela.*
> *Por toda resposta, tomou o santo a garrafa d'água que tinha na cela. Enchendo um copo, mandou-o à religiosa para que bebesse aquela água. Ela, bastante decepcionada com o que julgava um gracejo de mau gosto, tomou a água com certa repugnância. Ainda não tinha acabado de esvaziar o copo, quando sentiu algo extraordinário passar-lhe pelo corpo. Aquela que até há pouco esperava de um momento para outro a última hora, recuperava a saúde, fazia movimentos e pedia alimento. Chamaram o médico, que, examinando-a, ficou admirado ao verificar que do câncer não existia nem sinal* (MONTES, 1962, p. 137).

Cura sua sobrinha de uma enfermidade não diagnosticada, cura de pertinaz cefalalgia o advogado Gavoti. "Outra vez levaram-lhe um menino surdo de nascença. O ancião abençoou-o — e na mesma hora o pequeno recobrou a audição" (MONTES, 1962, p. 150).

> *À sua cela, continuamente visitada, chegavam enfermos carregados nos braços ou em leitos, e saíam dali por seus próprios pés.*
> *No processo de canonização, citam-se mais de cem fatos prodigiosos operados entre aquelas humildes paredes e, nas informações judiciais, esse número vai muito além.*

Profundamente edificante, muito além da notável mediunidade curativa de Santo Afonso, é sabermos que o missionário italiano nunca se envaideceu de seus reais poderes psíquicos. Não apenas os colocou a serviço do bem, em favor dos sofredores do mundo, mas também não permitiu jamais que sombras de orgulho espiritual penetrassem seu espírito. Uma vez mais reconhecemos que não é a mediunidade em si que engrandece o missionário da Luz no mundo, mas sim a nobreza espiritual do servidor de Deus a revelar-se em sua vida inteira, inclusive na atividade mediúnica.

Eis um dos aspectos da nobreza espiritual desses autênticos heróis da fé — a humildade de Santo Afonso de Ligório:

Afonso confundia-se — diz seu biógrafo — por se ver instrumento de tantos portentos e desculpava-se dizendo: "Alguns pensam que sou santo e que faço milagres. Se fora certo, começaria por curar-me a mim que sou um velho inútil" (MONTES, 1962, p. 152).

* * *

São João Bosco, o extraordinário Dom Bosco, entre as inúmeras faculdades psíquicas que possuía, era dotado de poderosa mediunidade curativa.

O padre Luigi Chiavarino (1960, p. 233-257) declara haver Dom Bosco realizado curas extraordinárias e completas em Marselha, por ocasião de sua visita à França. Igualmente na Espanha, em 1869, realizou outras curas: estropiados e entrevados curaram-se pela instrumentalidade do santo em Barcelona, na "afortunada e bendita Barcelona", como ele a denominou. E, entre os atos de cura, predições e manifestações de sua prodigiosa clarividência.

Às vezes, as curas assumiam caráter de verdadeiro "desafio à morte", na expressão de Chiavarino. Em sua visita a Paris, em 1883, na mesma noite de sua chegada, pedem-lhe para abençoar um jovem agonizante, que já havia recebido os últimos sacramentos da Igreja.

Dom Bosco, em sua prodigiosa lucidez, responde para espanto de todos: "Pois sim, irei; dar-lhe-ei minha bênção, mas com uma condição: amanhã ele tem de servir minha missa na *Madeleine*, onde tenho que fazer uma conferência".

Dirigiu-se à residência do jovem moribundo, deu-lhe a bênção e repetiu as expressões da condição. Essa estranhíssima notícia, verdadeiro "desafio à morte", espalhou-se rapidamente pela grande capital, e no dia seguinte o jovem compareceu à missa.

* * *

Também em São Pedro de Alcântara se manifestou, diversas vezes, a mediunidade curadora. Uma biografia sua (VIDA, 1947, p. 79) relata que em Arenas, na Espanha, havia uma pobre mendiga, cega de muitos anos, que ouviu falar nas virtudes do santo. Foi ao seu encontro e rogou-lhe obtivesse de Deus sua visão perdida. Não se fez surdo Frei Pedro aos rogos da pobre cega. Deu-lhe sua bênção e disse-lhe tão somente: *Dios te sane* ("Deus te cure") e imediatamente a infeliz mendiga recobrou a luz de seus olhos.

A essa cura, seguiram-se outras, na mesma cidade de Arenas, inclusive a de um jovem que iria submeter-se a uma operação. Quis antes, entretanto, a bênção do Frei Pedro. Após recebê-la, ficou completamente curado, dispensando, assim, a cirurgia.

* * *

Também Santo Antônio de Pádua, como relata Dom Salvini em sua biografia do grande franciscano, era dotado da mediunidade curativa: "Uma menina de quatro anos, aleijada e atacada de epilepsia, ao ser apresentada ao santo por seu pai, ficou completamente curada" (SALVINI, 1954, p. 168).

* * *

Santa Catarina de Siena, em sua multiforme mediunidade, exerceu também o sublime apostolado da caridade por meio das extraordinárias curas que efetuou.

Por ocasião da Peste Negra, foi ela um anjo da caridade em Siena. Conta Husslein (1951, p. 105):

> *Ela ia pessoalmente aos lugares mais infeccionados da cidade e, com as suas próprias mãos, cuidava dos que já se encontravam negros e inchados pela enfermidade. Ia de casa em casa, assistindo os empestados, consolando os moribundos, enterrando os mortos.*

Messer Matteo, superintendente do Hospital da Misericórdia e grande amigo da santa, também foi vítima da peste, ao contato com tantos enfermos.

> *Já moribundo, ouviu de Catarina estas palavras: "Levantai-vos, Messer Matteo, não é esta a ocasião de estar na cama". E ele deixou o leito, completamente curado, e voltou de imediato a seu trabalho junto dos empestados.*

Também seu biógrafo, confessor e mais íntimo amigo, Frei Raimundo de Cápua, foi vítima da Peste Negra, desencadeada na Itália, e que chegara a Siena, em 1374. O generoso frade pediu que chamassem Catarina, e quando esta

> *chegou à choupana, pôs a mão sobre a fronte do enfermo, ajoelhou-se a seu lado e orou. A vida voltou aos membros intumescidos de seu confessor, que caiu num profundo sono e, ao despertar, estava completamente são* (HUSSLEIN, 1951, p. 105).

* * *

O mesmo Husslein também relata a cura obtida por Luzia, a jovem cristã siracusana do século III (Santa Luzia). Acompanhada de sua mãe Eutíquia, vítima de pertinaz hemorragia, Luzia se dirigiu a Catânia, terra de Santa Ágata, também cristã e mártir siciliana, vítima cerca de trinta anos antes da perseguição do imperador Décio.

Mãe e filha se prostraram diante da imagem da mártir de Catânia. E Luzia teve uma visão — conta Husslein. "Viu Santa Ágata de pé, radiante de formosura", rodeada de entidades angélicas, que lhe disse: "Luzia, minha irmã, que desejas de mim? Pedes-me a saúde de tua mãe? Escuta: tua fé tem fortalecido a de tua mãe e ela está curada para sempre...". E assim aconteceu (HUSSLEIN, 1951, p. 155-156).

* * *

Jørgensen, em sua biografia de Santa Brígida de Vadstena, relata vários casos de cura, obtidos pela grande vidente sueca.

Uma pobre mulher romana, Lourença, caíra de uma pilha de lenha e quebrara as pernas e talvez ainda a coluna vertebral. Chamaram a "Santa", isto é, Brígida, que, como diz o biógrafo, "impôs as mãos sobre os ossos fraturados" (*impose le mani sulle ossa rotte*) — nem mais nem menos que uma aplicação de passes magnéticos — e Lourença recuperou o uso de seus membros! (JØRGENSEN, 1947, v. 2, p. 176).

O casebre de Lourença, em Campo de Fiori, situava-se próximo do palácio da nobre família Orsini. E *monna* Golizia ficou sabendo da cura maravilhosa de sua vizinha pobre. E como seu pequenino filho Gentil, de 7 anos, encontrava-se desenganado pelos médicos romanos, vítima de uma infecção tífica e contínuas enterorragias, mandou chamar sua amiga sueca.

Quando Brígida chegou, *monna* Golizia se lhe lançou aos pés, exclamando: "Salvai meu filho!". Brígida apenas pediu que lhe deixassem, de início, por um pouco, absolutamente sozinha. Ofereceram-lhe um quarto. Brígida, a sós, orou intensamente. Saindo do cômodo, perguntou: "Onde está o enfermo?". Torturado por febre alta, jazia no seu leito o pequenino. Brígida aproximou-se, tirou sua própria capa e a estendeu sobre a criança enferma, dizendo apenas "Dorme, agora, meu menino!" e acrescentando à mãe aflita: "O menino não está morto: dorme", como Cristo a Jairo,[69] recorda o biógrafo. Foi tudo e foi o bastante, porque,

---

[69] Mateus, 9:18 a 26; Marcos, 5:21 a 43; Lucas, 8:41 a 56.

algum tempo após a saída da santa, o pequenino Gentil acordou e gritou, feliz: "Mamãe, estou curado! Dá-me minha roupa, porque quero levantar-me!" (JØRGENSEN, 1947, v. 2, p. 176).

Quando o pai, *messer* Latino, retornou ao lar, encontrou o filho curado. E mais tarde, quando ele mesmo adoeceu gravemente, foi ainda Brígida que o curou (JØRGENSEN, 1947, v. 2, p. 177).

Também em Nápoles, antes de sua peregrinação aos lugares santos da Palestina, realizou Brígida inúmeras curas. Casos gravíssimos de hérnia e bubões malignos ela os curou com suas preces.

E parece que realizou até curas a distância, pois o hagiógrafo declara que, "às vezes, nem ao menos era necessária sua presença pessoal" (JØRGENSEN, 1947, v. 2, p. 204).

* * *

Alguns fatos atestam haver possuído Clara de Montefalco a mediunidade curadora. A Irmã Tommasa era portadora de uma escrófula na garganta, estando em perigo de morte. Confiando em Clara, pediu-lhe com insistência que lhe fizesse o sinal da cruz na região do tumor maligno e imediatamente se processou a cura (TARDY, 1881, p. 176).

Clara utiliza suas faculdades mediúnicas em favor da Irmã Joana Egídia, que havia atingido o último grau de tuberculose, sendo desenganada pelos médicos. Pelo poder de suas orações, Clara não só ficou sabendo que Joana seria no futuro sua sucessora no Convento como igualmente obteve sua cura completa.

Outra Irmã, Lúcia Vitali, era muito atormentada por Espíritos inferiores que se lhe apresentavam materializados (*molto travagliata da orrendi fantasmi*) (TARDY, 1881, p. 177). Clara, cheia de compaixão pelos seus sofrimentos, abraçando-a, envolveu-a com seu manto e a irmã ficou livre da influência obsessiva e dos consequentes padecimentos.

Um certo Juliano de Montefalco padecia, há um mês, violentíssimas dores num pé já gangrenado. O cirurgião já se dispunha a cortá-lo, quando Juliano, lembrando-se da Irmã Clara, rogou o auxílio divino. Após a oração, adormeceu. E, para estupefação dos médicos, acordou completamente curado (*perfettamente guarito*) (TARDY, 1881, p. 179).

Inúmeros casos de cura são relatados pelo biógrafo de Clara de Montefalco. Após a morte da abadessa, as curas se multiplicaram: paralíticos e surdos foram curados; cegos recobraram a visão; enfermidades uterinas, hérnias, escrófulas, hemorragias cessaram de fazer sofrer seus portadores; loucos retornaram à razão e obsessões tiveram fim; até animais irracionais (TARDY, 1881, p. 218) foram curados por seu Espírito consagrado ao bem dos seres sofredores da Terra.

* * *

Além de muitas outras qualidades mediúnicas, possuía São João Batista Maria Vianney, o Cura d'Ars, o dom de curar.

O Cura d'Ars era de uma bondade e amor ilimitados.

Diz Henri Ghéon (1949, p. 81-83) que sua missão era essencialmente espiritual e o fato de curar fisicamente os enfermos, além de outras maravilhas que realizava, tinha por objetivo "ganhar almas".

Relata ainda Ghéon:

> *Na capela de sua santinha [Santa Filomena], receberam a graça da cura: tuberculosos, coxálgicos, cegos, mudos e paralíticos. Antes de lá os enviar, ele os catequizava, assegurava-se de sua fé, mostrava os obstáculos que a imperfeição opunha necessariamente à graça (1949, p. 81-83).*

Então, fundamentalmente, considerava a cura partindo do espírito, de onde nascem as ideias, os desejos e como consequência a cura do corpo, que colocava em segundo plano...

13 À GUISA DE CONCLUSÃO

13.2 Os heróis do espírito

Flávio Mussa Tavares

> *Quais são as condições necessárias para que a palavra dos Espíritos superiores nos chegue isenta de qualquer alteração?*
> *— Desejar o bem, expulsar o egoísmo e o orgulho: uma coisa e outra são necessárias.*
>
> (KARDEC, Allan. O livro dos médiuns, cap. XX.)

Lamentavelmente, não teve tempo o meu pai, em vida, de concluir seu magnífico trabalho.

Há que se chegar a um denominador comum acerca de tantos fenômenos aqui descritos e ocorridos na vida dos santos.

Ao que me parece, a primeira constatação é a de que a verdade que a fenomenologia espírita encerra é irrefutável, provas havendo no seio da própria Igreja Católica Romana.

Com toda a seriedade que lhe era peculiar, buscou, numa pesquisa elaborada e bastante detalhada, identificar na vida de tantas almas santificadas fenômenos ampla e cientificamente explicados pela Doutrina Espírita. No entanto, mais que estudar a vida dos santos, meu pai amou-os intensamente. Desde 1956, passou a adquirir biografias, ultrapassando trezentos títulos.

Na memória de nosso coração, ecoam firmes suas palavras tão familiares para nós: "Mais importante que conhecer a vida dos santos é imitá-los em seus exemplos de amor, renúncia e sacrifício".

E isso conduz à grande conclusão da obra, sua principal tese, que demonstra ser o grau de espiritualidade e de elevação moral fator determinante de mediunidade mais apurada e cristalina.

Erasto e Timóteo assinam mensagem em *O livro dos médiuns* que diz:

> *[...] quando somos obrigados a servir-nos de médiuns pouco adiantados, muito mais longo e penoso se torna o nosso trabalho, porque nos vemos forçados a lançar mão de formas incompletas, o que é para nós uma complicação [...] (KARDEC, 1983, it. 225).*

Assevera-nos Erasto no item 230 da mesma obra:

> *[...] assim como as influências atmosféricas atuam, perturbando, muitas vezes, as transmissões do telégrafo elétrico, igualmente a influência moral do médium atua e perturba, às vezes, a transmissão de nossos despachos de Além-Túmulo [...] (KARDEC, 1983).*

Assim refere-se Pietro Ubaldi ao tema em questão:

> *Observei, então, que a mediunidade se encontra no fim de uma contínua purificação da alma e no desenvolvimento do meu ser intrínseco, como natural e necessário produto desta conduta (UBALDI, 1982, p. 268).*

Chegamos, desse modo, à conclusão de que estão estreitamente vinculadas as qualidades da santidade e da mediunidade. Esta última deve ser acompanhada daquela para que o fenômeno não se desvirtue ou desagregue.

A mediunidade do santo é uma força dirigida e canalizada para o Pensamento de Deus, ao passo que a mediunidade sem santidade é força perdida, inútil, nociva e repressiva do bem.

Na extraordinária obra de André Luiz, *Nos domínios da mediunidade*, psicografada pelo grande médium Francisco Cândido Xavier, lê-se, no comentário oportuno para os nossos dias, no prefácio escrito pelo Espírito sábio de Emmanuel:

> Cada criatura com os sentimentos que lhe caracterizam a vida íntima emite raios específicos e vive na onda espiritual com que se identifica.
> [...] E enquanto variados aprendizes focalizam a mediunidade, estudando-a da Terra para o Céu, nosso amigo procura analisar-lhe a posição e os valores, do Céu para a Terra, colaborando na construção dos tempos novos (XAVIER, 1984).

Assim, entendemos que a santidade é um fator da verdadeira mediunidade.

Não se compreende por que a Igreja insiste em exigir que, ao processo de beatificação e posterior santificação de um herói da fé, sejam anexadas provas testemunhais ou materiais de um fenômeno mediúnico. Ora, exigir-se que o herói da fé seja médium para depois ser declarado santo é o reverso da verdade aqui constatada. Em primeiro lugar vem a santidade, depois a mediunidade.

Após declarar a excelência da caridade sobre os dons do espírito, dizendo em sua *Primeira epístola aos coríntios*, capítulo 13, que, mesmo que utilizasse a xenoglossia, mesmo que tivesse a precognição ou até mesmo a capacidade de produzir efeitos físicos, se não tivesse o amor, nada disso teria sentido, demonstrou São Paulo que é preciso santificar-se para depois se mediunizar.

No capítulo seguinte da mesma carta aos coríntios, afirma São Paulo categoricamente que devemos procurar, sobretudo, a caridade e que ao profetizarmos, isto é, ao praticarmos a mediunidade, deveríamos fazê-lo pela edificação e pelo consolo espiritual do homem. Esta é a meta da verdadeira mediunidade. É a meta da mediunidade pregada por Paulo de Tarso. Ao buscar o caminho da santidade, abrimos janelas de nossa espiritualidade. Ao nos despojarmos de nossa materialidade vivenciada no egoísmo e no orgulho, ajustamos a nossa sintonia psíquica com as frequências da Espiritualidade superior. Desse modo, é santificando-se que o homem se mediuniza da forma equilibrada e sensata.

Nestas páginas, papai prodigalizou exemplos de indivíduos que se santificaram nas lutas da vida e que, por isso, abriram canais de comunicação enobrecedores. São os santos que, na hagiografia, abrilhantam a história do Cristianismo.

No próximo item, as palavras de minha mãe Hilda, que, desde a década de 50, trabalha com o meu pai neste projeto.

13.2 Mediunidade pela santidade

Hilda Mussa Tavares

Concluir *Mediunidade dos santos* foi realmente tarefa de grande responsabilidade que, por desígnios superiores, coube a nós desempenhar.

Sabíamos da disposição interior de Clovis de não mais publicá-la. Mente e coração habituados a refletir buscando harmonizar seus atos com os princípios evangélicos, Clovis temia que ela produzisse efeitos não desejáveis.

Por um lado, receava não ser entendido pelos espíritas ao dedicar muitas horas de sua vida a estudos e pesquisas desses grandes vultos da Igreja, utilizando bibliografia cuja marca principal era o imprimátur ou o *nihil obstat* para referendar as *citações*.

Por outro lado, não desejava ser mal-interpretado pelos irmãos católicos, caso entendessem que ao buscar o fenômeno mediúnico na vida dos santos estaria de certa forma minimizando sua grandeza espiritual ou polemizando conceitos místicos da própria Igreja.

O grande amor e profundo respeito que tinha a essas almas de escol compeliram-no a retrair-se.

"Mais que saber sobre a vida dos santos, cabe-nos imitá-los", repetia-nos sempre. Chegou mesmo a pedir ao nosso filho Celso Vicente que a queimasse, reformulando mais tarde esse pedido, com a graça de Deus, por reconhecer que tais estudos poderiam ser úteis às nossas meditações.

Os anos se passaram sem que tivéssemos tido ocasião de manusear os originais de tão rico documento. Vimo-nos todos nós surpreendidos em abril de 1984 com sua súbita partida para os planos dos Espíritos e, em novembro do mesmo ano, quando da recepção por Chico de sua primeira mensagem psicografada, o querido médium nos pergunta pela referida obra. Revelei a ele os temores de nosso Clovis, extremamente preocupado com o significado espiritual do tema. Chico, no entanto, com a firmeza de quem sabe o que diz, revela ser esta a obra-prima de Clovis e nos estimula, a mim e aos filhos, a tentar complementá-la. Revelou-nos, ainda, fato que desconhecíamos; que seriam encontradas não só as orientações necessárias como também as indicações bibliográficas na própria pasta que guardava as páginas já escritas do livro. E foi realmente o que ocorreu. Estava tudo lá, perfeito, sabiamente organizado, incrivelmente estruturado, como se intuísse que não seria ele próprio a concluir aqueles textos.

Chico, para descansar nosso espírito, reafirmava com entusiasmo: "É uma obra de unificação, não de sectarismo".

A palavra do grande coração e do sempre amado médium é para nós, e o era para Clovis, como aquela de Jesus a Simão Pedro: "Lança as redes para a pesca". E o discípulo responde atordoado: "Mestre, a noite toda estivemos trabalhando e nada pescamos, mas sob a tua palavra lançarei as redes".[70]

E foram grandes as quantidades de peixe...

Como reforço desse fato, encontramos no arquivo de cartas de Clovis muitas que se referiam ao livro, enviadas por Chico e dentre elas escolhemos estes pequenos trechos:

> [...] Espero, com muito interesse, o seu trabalho sobre Mediunidade dos santos. Será uma bênção, nesta hora em que tantos religiosos respeitáveis se aliam aos materialistas demolidores da fé, estranhos a essa mesma fé que eles esposaram por honra maior da vida [...] (1959).
> [...] faço votos para que você traga pronto o Mediunidade dos santos [...]" (1968).
> [...] As novas edições de Histórias que Jesus contou e a Vida de Allan Kardec para as crianças ficaram notáveis. Receba, querido amigo, o meu grande abraço de felicitações. Agora, com a Ajuda do Senhor, teremos o Mediunidade dos santos, muito brevemente, não é? Aguardemos [...] (1969).

Lamentavelmente, o grande coroamento da obra não poderá ser feito. A intenção de Clovis era dedicar o último capítulo a Francisco Cândido Xavier.

Como atender a essa perspectiva? Percebemos imediatamente serem grandes nossas limitações para tão alto encargo.

Fenômenos das mais diversas naturezas comprovam o elevado nível mediúnico de Chico. Pela sua psicografia, ciência, política, educação, poesia, filosofia, estão presentes em centenas de obras e mensagens esparsas. Muito além do que se pode relatar ou imaginar, suas mensagens consoladoras para pais e mães aflitos, esposos e filhos inconformados, têm transformado vidas apagadas em vidas produtivas em favor do próximo mais necessitado. Curas de enfermidades, sem alarde, no silêncio que o amor exige. Exemplos inúmeros de desprendimento e renúncia. Bondade

---

[70] Lucas, 5:4 a 6.

inesgotável. Atenção ininterrupta. Carinho. Responsabilidade. Fé incondicional no supremo Mestre, Nosso Senhor Jesus Cristo. Fé operante. Simplicidade franciscana.

Retomemos alguns comentários feitos por Clovis em *Trinta Anos...*:[71]

> *Francisco Cândido Xavier nunca atribuiu a si mesmo qualidades de missionário, nem jamais se julgou detentor de poderes especiais ou virtudes sobre-humanas. [...] sempre considerou as faculdades que inegavelmente possui como aqueles talentos da parábola evangélica, que ele deveria multiplicar, no serviço do bem e em favor do próximo, na posição de servidor consciente e vigilante. Nunca lhe saiu da mente e do coração o conceito de que sua mediunidade é "depósito sagrado" pelo qual responderá um dia: "O reino dos Céus pode comparar-se a um certo rei que quis fazer contas com os seus servos".*[72]
>
> *Esse sentido de sacralidade de suas faculdades psíquicas é uma constante em toda a sua vida. Essa consciência cristã do mediunato, entretanto, nunca se tingiu da mais apagada coloração de orgulho espiritual. Chico tem permanecido sempre humilde e simples. Considera-se tão somente instrumento do Mundo Espiritual para objetivos que ele sabe e sente que são nobres e humanitários.*
>
> *"[...] Em seu espírito, convicto da responsabilidade do serviço que lhe foi cometido, nunca houve lugar para ânsias de "estrelismo", fenômeno não raro no ambiente das naturais lideranças no campo doutrinário. Chico salientou sempre sua singela condição de mourão de cerca, solidário com todos os outros esteios, unidos pelos arames da fraternidade cristã, em defesa da Fazenda de Deus. Imagem singela e comovente de Emmanuel, sempre foi esta metáfora a inspiradora imagem de sua humildade, o símbolo da autenticidade de seu mediunato, ao mesmo tempo que indicava aos seus amigos, aos companheiros da Doutrina, aos responsáveis pelas instituições espíritas, a necessidade de comunhão fraternal entre todos, embora as distâncias que os separassem."*

---

[71] TAVARES, Clovis. *Trinta anos com Chico Xavier*. 4. ed. São Paulo: IDE, 1987, p. 16-19.
[72] MATEUS, 18:23.

[...] Esclarecido amor à Doutrina Espírita, vivo devotamento à sua ideia libertadora, senso de disciplina no serviço espiritual — eis as constantes da vida de Chico Xavier. [...] Em razão mesma de sua mediunidade, em singulares imersões no passado histórico da raça humana, sua clarividência da milenária cadeia de vidas sucessivas e solidárias deu-lhe ao Espírito, já por natureza humilde e generoso, mais razões para o reconhecimento da grandeza única de Deus e da pequenez espiritual de todos nós em face da Majestade divina. [...] ele sempre replicava, humilde: "Clovis, se você conseguisse encontrar algo de bom no meu caminho, isso será unicamente a mensagem dos nossos Benfeitores Espirituais [...]".

Que acrescentar a essas palavras tão vivas e tão atuais, que o tempo, o grande crivo do tempo, não conseguiu e nem conseguirá empanar?

Tão bom seria se o *Trinta Anos...* pudesse se transformar em *Cinquenta Anos...*, no qual um cabedal imenso de novos fatos e revelações, carinhosamente guardadas pelas revelações estreitas de confiança e afeto entre Clovis e Chico, viesse ao nosso encontro para aprendizado tão necessário de nossas almas!

Na posição de alma beneficiária de ambos, tenho constatado no correr dos anos, desde 1952, bem como testemunhado, fenômenos que vão desde a manifestação mais carinhosa de fraternidade humana até a do contato com os planos superiores, embora nossa competência espiritual para comunicar tais fatos seja infinitamente pequena diante de sua grandeza.

Chico Xavier, um médium a espalhar sabedoria e amor em dedicação exclusiva e integral à causa do Cristo. Um terno coração de criança, capaz de sensibilizar-se com o desabrochar de uma pequena violeta que teima em se esconder entre suas folhas ou com a humilde avezinha que canta à chegada da manhã. Mais que uma grande alma humana que se solidariza com as dores e privações da pobreza e do sofrimento, Chico é um apóstolo do amor, cuja, brava coragem, ao par de extremada humildade, vem desbravando para ensinamento de nossas vidas o mundo invisível, com todo o seu dinamismo a interagir com o mundo terreno através de vibrações que poucas almas sabem captar.

Apóstolo do amor, eis Francisco Cândido Xavier.

ÍNDICE TEMÁTICO

A

Absefalesia, 110

Água em vinho, 15

Água magnetizada, 189

Alucinação, 26

Aparições, 27, 29, 39, 56, 62, 77, 78, 123, 127, 157, 162
  no momento da desencarnação, 78

Apiropatia, 110

Apocalipse, 16, 100, 106

Arhats, 24

B

Benfeitores espirituais, 24, 50, 52, 54, 204

Bicorporeidade, 146, 150

Bodas de Caná, 15

C

Câncer, 106, 188, 189, 190

Carmelitas Descalças, 81

Cegos, 32, 189, 196

Celtas, 19

Cenas do passado, 28

China, 19

Clariaudiência, 11, 22, 26, 53, 56, 68, 83, 85, 86, 88, 90, 161

Clarividência, 11, 22, 26, 27, 28, 29, 31, 32, 34, 42, 43, 44, 46, 48, 53, 54, 56, 59, 65, 68, 74, 80, 83, 86, 134, 145, 150, 161, 191, 204

Criptestesia, 27

Cristianismo, 5, 17, 33, 200

Curas, 146, 187, 188, 189, 191, 192, 195, 196, 202

D

Demônio, 29, 31, 32, 34, 57, 118, 125, 126, 127, 152

Desdobramento, 129, 145, 146, 147, 148, 150

Diabolismo, 32

Doutrina Espírita, 19, 20, 31, 32, 33, 59, 105, 107, 130, 150, 197, 204. *Ver também* Espiritismo

Dupla vista, 26, 29

E

Elétron, 33

Esferas espirituais, 37, 121

Espiritismo, 20, 27, 28, 32, 34, 51, 58, 60, 68, 105, 106, 107. *Ver também* Doutrina Espírita

Espíritos malignos, 126

Espíritos superiores, 74, 197

Espiritualidade superior, 24, 200

Estigmas, 23, 40

Evangelho, 15, 16, 45, 50, 86, 88, 117, 126, 136, 148, 154, 155, 177, 187

Êxtase, 37, 39, 64, 65, 72, 74, 111, 136, 146, 147, 151

Extáticos, 29

F

Falsos médiuns, 22

Fantasia ou psicografia?, 105

Fantasma, 28

Fenômeno
  de transporte, 120
  físico, 145
  luminoso, 136, 142, 157
  proteção contra a ação do fogo, 109
  psíquico, 11, 19, 21, 29, 32, 109, 140, 184
  químico, 109

Fenomenologia mística, 22

Forças do mal, 117, 119, 121, 122

G

Gurus, 24

H

Hebreus
  Profetas, 19

Hematidrose, 95

Hindus, 19, 24

I

Igreja Católica Romana, 19, 197

Impressões de mãos de fogo, 141, 220

Incombustibilidade, 110, 112, 125

Inferno, 45, 64, 129, 130, 140, 141, 183

Infestação espiritual, 117

Iraquianos
  magos, 19

L

Leitura de pensamento, 63

Levitação, 22, 133, 135, 136, 137, 140, 146

Licantropia, 122

Literatura
  católico-romana, 106, 125
  dos gregos e dos romanos, 19

Lucidez, 26, 29, 191

Luz celeste, 157

Luz transcendental, 160

M

Mal de Hansen, 40

Materialização, 28, 67, 107, 142, 151, 152, 153, 155

Mediunidade
  aplicada aos santos da Igreja, 20
  curativa, 187, 188, 189, 190, 191, 192
  de efeitos físicos, 121, 151
  onírica, 177, 179, 180, 183, 184
  poliglota, 93

O

Olhos da alma, 31, 32

Olhos do corpo, 27, 28, 31, 32

Olorização, 11, 157, 161

Onda
  eletromagnética, 33
  hertziana, 32

Onirofania. *Ver* Mediunidade onírica

Oração, 46, 51, 53, 61, 88, 101, 126, 135, 136, 140, 152, 159, 160, 165, 187, 188, 196

P

Pães
  multiplicação dos, 15

Palmadas misteriosas, 145

Passes magnéticos, 194

Percepção extrassensorial, 26

Precognição, 163, 164, 165, 199

Predição, 165, 167, 168, 169

Premonição, 163, 170, 172

Profecia, 59, 77, 166, 169, 173, 174

Profetisa, 37

Psicofotismo, 11, 157

Psicografia, 99, 100, 105, 202

Psicopiroforia, 109, 110

Purgatório, 44, 45, 49, 53, 59, 104, 106, 141, 219, 221

R

Radioatividade, 33

Raios X, 25, 32, 33

Reencarnação, 104

Revelação divina, 33

Revolução espiritual, 32, 33

S

Santidade, 19, 21, 127, 198, 199, 200

Santo
  campeão da fé, 22

Segunda vista, 29

Sonâmbulo, 29

Sonho, 20, 166, 176, 177, 178, 179, 180, 181, 182, 183, 184, 185

Sufis, 24

Surdos, 32, 196

T

Telecinesia, 123

Telestesia, 26

Teoria
  da Relatividade, 33
  elétrica da matéria, 33

Testamento
  Novo, 5, 16, 37
  Velho, 20

Trevas infernais, 44

Tuberculose
  óssea, 188
  peritoneal, 188
  pulmonar, 188

U

Ubiquidade, 148

Umbral, 49, 105, 106

V

Visão
  comum, 27
  corporal, 27, 28
  espiritual, 28, 60, 74, 86
  física, 26

imaginária, 27, 28
psíquica, 31
supranormal, 28

X

Xenoglossia, 22, 93, 94, 95, 96, 199

Z

Zoantropia, 117, 122, 123

ÍNDICE ONOMÁSTICO

A

Aarão, 177

Abrão, Santo, o Ermitão, 188

Afonso de Ligório, Santo, 140; 140, nota; 141, nota; 146, 189, 191

Ágabo, 16

Ágata, Santa, 193

Agostinho, Santo, 65, 78, 80, 106

Aidan, Santo, 73

Alcíone, 118

Ambrósio, Santo, 85

Ana, filha de Fanuel, 37

Ananias, 16

André Luiz, 31, 43; 43, nota; 44, 64, 104, 105, 106, 107, 109, 117, 122; 122, nota; 128; 131, nota; 183, 199

Antônio, 118

Antônio de Pádua, Santo (Santo Antônio de Lisboa), 34, 78, 124; 146, nota; 147, 148, 152, 169, 192

Aristóteles (lei de), 33

Armond, Edgar, 133, 147

At, Padre Jean-Antoine, 126, 147, 148, 152

Auffray, Padre A., 121, 123, 144

B

Barbosa, Elias, 12, 40, 42

Barsanulfo, Eurípedes, 24

Beltrami, padre André, 56

Benedito (Bento) XI, 173

Bento de Nórcia, São, 133

Bernadette Soubirous, Santa, 74, 75, 111, 123

Bernardo, São, 48

Bezerra de Menezes, 24

Boniface, Ennemond, 21, 95, 96

Bonifácio VIII, 173

Bosco, Dom (João Bosco, São), 5, 65, 66, 67, 121, 122, 142, 143, 144, 145, 146, 166, 167, 168, 169, 179; 179, nota; 180, 181, 182, 191

Bosco, Margarida, 65, 67

Botvid, São, 45

Bougaud, Louis Victor Émile, padre, 59, 170

Bouher, Pe. Louis, 106

Bozzano, Ernesto, 27, 61, 68, 78, 93, 129, 141; 141, nota

Brandão, Monsenhor Ascânio, 104

Brault, Madame, 106

Brígida de Vadstena, Santa, 6, 39, 44, 45, 47, 48, 50, 85, 99, 100, 101, 106, 161, 170, 194

Buda, 24

C

Cápua, Frei Raimundo de, 193

Carcassona, Margarida de, 64

Cardoso, Francisco de Paula, 41

Carlos IV, do Sacro Império Romano Germânico, 100

Carlos VI, 90

Carlos VII, de França, 92

Carrel, Alexis, 12, 188

Carrel, Ana, 12

Castro, Américo, 90

Catarina da Suécia, Santa, 42, 170

Catarina de Gênova, Santa, 73

Catarina de Siena, Santa, 5, 37, 45, 74, 76, 86, 192

Catarina Labouré, Santa, 77, 86, 87, 184

Cedmon, 175, 176

Cerviño, Jayme, 95, nota

Chardin, Teilhard de, 157

Charmot, F., 127

Chesterton, 25

Chiavarino, Padre Luigi, 142, 145, 168, 179, 191

Chiodo, Picone, 26, 109

Clara de Montefalco, Santa, 54, nota; 59, 61, 62, 63, 64, 65, 94, 106, 127, 151, 157, 159, 160, 161, 173, 195, 196

Clemente V, 173

Clemente VI, 48, 49, 100, 101

Comollo, Luigi, 65, 67, 142, 143

Crispolti, 67

Croiset, padre Jean, 54

Crookes, William, 109

Cura d'Ars, São (Ver João Batista Maria Vianney), 12, 68, 69, 71, 106, 188, 196

Cuteberto, São, 73, 188

D

Daniel, profeta, 20, 177

Dante, 21

Débora, 37

Delanne, Gabriel, 61

Denis, León, 90, nota; 162

d'Esperance, Mme, 53, 61

Deus, 5, 19, 34, 37, 42, 46, 70, 80, 88, 93, 95, 107, 118, 119, 121, 159, 163, 164, 187, 199, 201, 203,

Dionísio, São, 48

Dixon, Jeanne, 75; 77, nota

Du Potet, 29

E

Einstein, Albert, 33
Elias, profeta, 157
Elimas, 16
Emmanuel, 10, 17, 118, 199, 203
Erasto, 198
Espírito de Verdade, 33
Estevão, São, 5
Eucárpio, São, 88
Eustáquio, São, 189

F

Ferreira, Dr. Inácio, 146, nota
Filomena, Santa, 70, 73, 196
Flammarion, Camille, 61
Francisca Romana, Santa, 152; 152, nota
Francisco de Assis, São, 5, 24, 34, 37, 40, 45, 120, 147
Francisco de Paula, São, 41, 153
Francisco de Sales, 56; 56, nota; 159, nota

G

Gabriel (Espírito), 15
Galileu, 33
Gallerani, Bem-aventurado André de, 188
Geley, Gustave, 151, 175
Gemma Galgani, Santa, 27, 74
Genoveva, Santa, 189
Gerekinus, Frei, 134, 172
Ghéon, Henri, 67, 70, 73, 143, 196
Gonçalves, Jésus, 40, 41
Gontrão, São, 189
Gregório XI, 172
Gregório Magno, São, 112, 133
Gualandi, Padre Armando, 153

H

Hall, 109
Hello, Ernest, 34
Herodes, 178
Home, Dunglas, 61, 109, 110
Huby, Joseph, 19, 20
Hulda, 37
Hunter, Bob, 52
Husslein, Joseph, 74, 77, 86, 110, 111, 184, 193

I

Inês, Santa, 44, 52, 110
Isaías, profeta, 6

J

Jeremias, profeta, 8, 177
Jesus Cristo, 5, 15, 16, 27, 29, 31, 35, 37, 47, 51, 54, 55, 74, 92, 95, 100, 107, 118, 120, 129, 178, 187, 204
Jó, profeta, 177
Joana d'Arc, Santa, 5, 90, 162, 163
Joana de Chantal, Santa, 159
João Batista, São, 15, 39

João Batista Maria Vianney,
  68, 106, 188, 196

João Bosco, São (Dom Bosco), 5,
  65, 121, 142, 166, 179, 191

João Crisóstomo, São, 12, 104

João de Deus, São, 114

João do Egito, São, 189

João Evangelista, São, 35,
  39, 74, 100, 105, 129

Joel, profeta, 177

Jørgensen, Johannes, 6, 37,
  39, 40, 40, 42, 43, 44, 45,
  46, 85, 126, 171, 194

José, São, 15, 178

José Oriol, São, 112

K

Kardec, Allan, 13, 150; 159, nota; 197

Karin (Catarina da Suécia, Santa)

Kerner, Dr. Justinus, 146, nota

Khan, Inayat, 24

Krishna, 24

L

Leadbeater, Charles W.,
  26; 53, nota; 83

Lekeux, Pe. Martial, 152

Leroy, Oliver, 133, nota

Lessa, Adelaide
  Petters, 163, nota

Lombroso, Cesare, 95, nota;
  103; 146, nota

Lourenço, São, 39

Lucas, São, 117

Ludgero, São, 189

Luzia, Santa, 112, 125, 193

M

Madalena Sofia, Santa, 105, 129

Margarida de Cortona, Santa, 27

Margarida Maria Alacoque, Santa,
  27, 54, 55, 59, 86, 106, 170

Maria Madalena, Santa, 16, 74, 86

Maria Santíssima, 15, 35, 39, 48, 54,
  70, 73, 74, 86, 129, 161, 178

Martel, Carlos, 90

Mateus, São, 85, 178

Matias, Melanchton, 24

Menéndez, Josefa, 43, 105, 106, 127

Merton, Thomas, 78, 80

Mesmer, 29

Miguel, São, 90, 163

Miranda, Hermínio, 133, nota

Miriam, 37, 177

Mohiyaddin, 24

Moisés, 33, 37, 161

Monier-Vinard, Padre, 127

Monteiro, Mozart, 75, nota

Montes, Padre José, 140, 142, 189

Montgomery, Ruth, 75, nota

Moses, Stainton, 53, 61

Myers, 26

N

Neumann, Teresa, 12, 21, 94, 95

Novelino, Corina, 146

O

Olai, Petrus, 37, 52, 101

P

Paladino, Eusapia, 61

Paula, João Teixeira de, 96, nota; 151

Paulo, São, 5, 48, 74, 103, 199, 200

Paulo da Cruz, São, 106

Pedro, São, 16, 74, 85, 93, 117

Pedro, São, o Ígneo, 114

Pedro de Alcântara, São, 34, 35, 110, 119, 120, 135, 136, 137, 138, 140, 150, 161, 164, 173, 174, 192

Pereira, Yvonne, 53

Pernoud, Régine, 104, nota

Perpétua, Santa, 106

Piat, Frei Stéphane Joseph, 34, 35, 110, 137, 138, 150, 161, 165, 173

Pimentel, Cícero, 110

Pires, J. Herculano, 161, nota

Poppi, Bem-Aventurado Torello de, 73

Proclo, São, 103

Prócula, Cláudia, 178

Puysegur, 29

R

Ranieri, R. A., 160, nota

Raynal, François Paul, 111, 112

Rhine, J. B., 26

Richet, Charles, 25, 27, 93, 141, 171

Rochas, Albert de, 133

Rohrbacher, Padre René François, 27, 46, 47, 73, 114, 175, 188

Ruperto, São, 189

Rusk, Rogers, 32

S

Salvini, Dom Alfonso, 78, 125, 147, 148, 150, 169, 192

Sampaio, Bittencourt, 24

Sanford, Agnes, 163, 187

Sarmento, Frei Francisco de Jesus Maria, 189

Sarov, Serafim, 24

Saulo (de Tarso), 5, 16

Schamoni, Wilhelm, 159, nota

Segur, Mons. De, 106

Scheilla, Espírito, 161, nota

Simeão, 15

Singh, Sundar, 24

Siqueira, José Nunes, 153

Slade, 61

Soares, Dr. Raul, 41

Spirago, Francisco, 95

T

Taigi, Ana, 106

Tardy, Lorenzo, 60, 94, 157, 161, 173

Teresa d'Ávila, Santa (Santa Teresa de Jesus), 24, 27, 29, 34, 35, 150

Teresa de Lisieux, Santa (Santa Teresinha do Menino Jesus), 78, 79

Thieman, Frei Pachomio, 27

Timóteo, 198

Tomasso, Bem-Aventurado, 188

Tristão de Athayde, 78

Trófimo, São, 88

U

Ubaldi, Pietro, 85, 88, 198

V

Vacchinetti, Padre V., 88

Vaessen, Padre Guilherme, 157

Vesme, Cesare Baudi de, 61, 146, nota

Vicente de Paulo, São, 157, 185

Vilela, Dr. Antônio Eduardo Lobo, 26, 110, 146, 157

W

Wallace, A. Russel, 110

Wutz, Professor, 95, 96

X

Xavier, Francisco Cândido, 12, 13; 13, nota; 17, nota; 31; 40, 41, 42, 43, 52, 53; 54, nota; 60, 61, 64, 67; 68, nota; 96; 100, nota; 103, 104, 105, 109, 118, 122, 159; 161, nota; 199, 202, 204, 205

Y

Turíbio de Mongrovejo, São, 188

Yutang, Lin, 93

Z

Zacarias, 15

ÍNDICE DAS ILUSTRAÇÕES

Afonso Maria de Ligório (de Liguori) (1696–1787), Santo, 139

Antônio de Pádua (de Lisboa) (1195–1232), Santo, 124

Bernadette de Lourdes "A vidente de Lourdes" (1844–1979), Santa, 75

Brígida (1302–1373), Santa, 38, 98

Catarina de Siena (1347–1380), Santa, 76

Catarina Labouré (1806–1876), Santa, 87

Francisco de Assis (1182–1226), São, 89

Gemma Galgani (1878–1903), Santa, 116

Joana d'Arc (1412–1413), Santa, 91

João Batista Maria Vianney, Cura d'Ars (1786–1859), São, 69, 71

João Bosco (Dom Bosco) (1815–1888)), São, 66

João Crisóstomo (348–407), São, 102

Josefa Menéndez (1890–1923), Sóror, 128

Luzia (? – 303), Santa, 113

Margarida Maria Alacoque (1647–1690), Santa, 55, 87

Pedro de Alcântara (1499–1562), São, 36

Teresa de Jesus (d'Ávila) (1515–1582), Santa, 30, 149

Teresa Neumann (1898–1962), 23

Teresinha do Menino Jesus (De Lisieux) (2-1-1873 – 30-9-1897), Santa, 79

Vicente de Paulo (1581–1660), São, 158

REFERÊNCIAS

ALACOQUE, Marguerite Marie, Santa. *Vida de Santa Margarida Maria Alacoque:* escrita por ela própria. Porto: Edições do Apostolado da Imprensa, 1936.

ARMOND, Edgard. *Mediunidade*: seus aspectos, desenvolvimento e utilização. 13. ed. São Paulo: Lake, 1969.

AT, Jean-Antoine. *História de Santo Antônio de Pádua*: segundo as fontes hagiográficas dos séculos XIII, XIV e XV. Tradução de Monsenhor Dr. José Basílio Pereira. 2. ed. Salvador: Mensageira da Fé, 1951.

AUFFRAY, Augustin Fernand. *Un grand éducateur:* Saint Jean Bosco (1815–1888). Lyon: Librairie Catholique Emmanuel Vitte, 1947.

BARBOSA, Elias. *No mundo de Chico Xavier.* 6. ed. Araras, SP: IDE, 1986.

BELTRAMI, André. *Santa Margarida Maria Alacoque*. 3. ed. São Paulo: Salesiana, 1945.

BRANDÃO, Monsenhor Ascânio. *Tenhamos compaixão das pobres almas!* 30 meditações e exemplos sobre o purgatório e as almas. Pouso Alegre, MG: Casa da UPC, 1948.

BONIFACE, Ennemond. *Teresa Neumann, a estigmatizada*. Tradução do original francês *Thérèse Neumann, la Stigmatisée*, Editions Pierre Horay. Porto: Itinerário, 1958.

BOUGAUD, Louis Victor Émile. *Historia da beata Margarida Maria ou origem da devoção ao Coração de Jesus*. 3. ed. Porto: Lello & Irmão, 1926.

BOZZANO, Ernesto. *A crise da morte*. 5. ed. Rio de Janeiro: FEB, 1980.

_____. *Animismo ou espiritismo?* Rio de Janeiro: FEB, 1940.

_____. *Seleções: breve história dos "raps"; materializações mediúnicas; fenômenos de transfiguração; marcas e impressões de mãos de fogo*. São Paulo: Lake, 1949.

CARDOSO, Leontina Licínio. *Almas*. São Paulo: Melhoramentos, 1935.

CASTRO, Américo Mendes de Oliveira. *A história maravilhosa de Joana d'Arc*. Petrópolis, RJ: Vozes, 1947.

CHESTERTON, Gilbert Keith. *São Tomás de Aquino*. Braga: Cruz, 1945.

CHIAVARINO, Luigi. *Os sorrisos de Dom Bosco*. São Paulo: Paulinas, 1960.

CHIODO, C. Picone. *A verdade espiritualista*: vivem os mortos e podem comunicar-se conosco? Tradução de Guillon Ribeiro. Rio de Janeiro: FEB, 1938.

CROISET, Jean. *Compêndio da vida da irmã Margarida Maria Alacoque*. Rio de Janeiro: Agir, 1950, p. 8.

CUNHA, Heigorina. *Cidade no além*. 3. ed. Araras, SP: IDE, 1983.

GHÉON, Henri. *O Santo Cura d'Ars*. Tradução Tristão de Ataíde. Rio de Janeiro: Agir, 1949.

_____. *São João Bosco*. Rio de Janeiro: Agir, 1948.

GUALANDI, Armando. *São Francisco de Paula*. Recife: Paulinas, 1954.

HUSSLEIN, Joseph Casper. *Heroínas de Cristo*. Buenos Aires: Editorial Poblet, 1951.

JØRGENSEN, Johannes. *Santa Brígida di Vadstena*. Brescia: Morcelliana Editrice, 1947. 2 v.

KARDEC, Allan. *O livro dos espíritos*. 24. ed. Rio de Janeiro: FEB, 1954.

_____. *O livro dos médiuns*. 48. ed. Rio de Janeiro: FEB, 1983.

LEADBEATER, Charles W. *A clarividência*. São Paulo: Teosófica Adyar, 1951.

LEKEUX, Martial. *Santa Francisca Romana*. Petrópolis, RJ: Vozes, 1954.

LESCURE, Marie-Thérèse; MONIER-VINARD, Henri; CHARMOT, François (Ed.). *Apelo ao amor*: mensagem do coração de Jesus ao mundo e sua mensageira sóror Josefa Menéndez, religiosa coadjutora da Société du Sacré Coeur de Jésus, 1890-1923. 2. ed. Rio de Janeiro: Santa Maria, 1953, p. 525.

LOMBROSO, Cesare. Hipnotismo e mediunidade. 2. ed. Rio de Janeiro: FEB, 1959.

MERTON, Thomas. *Águas de Siloé*. Belo Horizonte: Itatiaia, 1957.

MONTES, José P. *Afonso Maria de Ligório*: o cavaleiro de Deus. Petrópolis, RJ: Vozes, 1962.

MYERS, Frederic William Henry. *A personalidade humana*: sobrevivência e manifestações paranormais. São Paulo: Edigraf, [19__?].

O MANUSCRITO do purgatório. Tradução de monsenhor Ascânio Brandão. São Paulo: Paulinas, 1958, p. 19-20.

PAULA, João Teixeira de. *Dicionário de parapsicologia, metapsíquica e espiritismo*. 2. ed. São Paulo: Cultural Brasil, 1972.

PERNOUD, Régine. *Vie et mort de Jeanne d'Arc:* les témoignes du proces de réhabilitation (1450–1456). Paris: Hachette, 1953.

PIAT, Frei Stéphane Joseph. *São Pedro de Alcântara*. Petrópolis, RJ: Vozes, 1962.

RAYNAL, François-Paul. *Tous les Saints du Paradis*. Paris: Librarie Gründ, 1946.

RICHET, Charles. *Tratado de metapsíquica*, v. 1. São Paulo: Lake, [194-?].

RHINE, Joseph Banks. *Novas fronteiras da mente*. São Paulo: Ibrasa, 1965.

ROCHAS, Albert de. *A levitação*. Rio de Janeiro: FEB, 1953.

ROHRBACHER, René François. *Vidas dos santos*. São Paulo: Américas, 1960. v. 6.

RUSK, Rogers D. *A ciência avança*. São Paulo: Ed. Nacional, 1947.

SALVINI, Alfonso. *Santo Antônio de Pádua*. 2. ed. São Paulo: Paulinas, 1954, p. 184-185.

SARMENTO, Francisco de Jesus Maria. *Fios sanctorum*. Salvador: Progresso, 1955.

SCHAMONI, Wilhelm. *El verdadero rostro de los santos* (*Das Wahre Gesicht Der Heiligen*). Barcelona: Ariel, 1952.

SPIRAGO, Francisco. *A estigmatizada de Konnersreuth*. 3. ed. Lisboa: Tipografia da União Gráfica, 1930.

TARDY, Maestro Lorenzo. *Vita di Santa Chiara de Montefalco*: dell'ordine degli eremiti di S. Agostino. Roma: Tipografia della Pace, 1881.

THIEMAN, Frei Pachomio. *Santa Margarida de Cortona*: um exemplo de penitência e amor. Versão portugueza do original hollandez por Frei Adolpho Thoonsen. Petrópolis, RJ: Vozes, 1928.

UBALDI, Pietro. *As noúres*: técnica e recepção das correntes de pensamento. Tradução de Clovis Tavares. Campos: Fundapu, 1980.

_____. *Fragmentos de pensamento e paixão*. 3. ed. Campos: Fundapu, 1982.

VAESSEN, Guilherme. *São Vicente de Paulo*. Imprimátur de Monsenhor Ápio Silva, vigário-geral. Salvador: Mensageiro da Fé, 1946.

VESME, Cesare Baudi di. *Storia dello spiritismo*. Turim: Roux Frassati e C., 1897. v. 2.

VIDA de San Pedro de Alcántara. Por un religioso de la Orden de San Francisco. Madri: Apostolado de la prensa, 1947.

VIEIRA, José Carlos de Sousa Alves. *Vida de S. João Bosco*. Porto: Salesianas, 1959.

VILELA, António Eduardo Lobo. Vocabulário metapsíquico. In: GELEY, Gustave. *Resumo da doutrina espírita*. São Paulo: Lake, 1958.

XAVIER, Francisco Cândido. *Ação e reação*. 7. ed. Rio de Janeiro: FEB, 1980.

_____. *Libertação*. Rio de Janeiro: FEB, 1949.

_____. *Nos domínios da mediunidade*. 13. ed. Rio de Janeiro: FEB, 1984.

_____. *Nosso Lar*. 23. ed. Rio de Janeiro: FEB, 1981.

_____. *Obreiros da vida eterna*. 11. ed. Rio de Janeiro. FEB, 1981.

_____. *Pão nosso*. 9. ed. Rio de Janeiro: FEB, 1982.

_____. *Parnaso de além-túmulo*. 6. ed. Rio de Janeiro: FEB, 1932, p. 19.

_____. *Renúncia*. 5. ed. Rio de Janeiro: FEB, 1963.

XAVIER, Francisco Cândido; VIEIRA, Waldo. *Mecanismos da mediunidade*. 8. ed. Rio de Janeiro: FEB, 1984.

Conselho Editorial:
Jorge Godinho Barreto Nery – Presidente
Geraldo Campetti Sobrinho – Coord. Editorial
Evandro Noleto Bezerra
Marta Antunes de Oliveira de Moura
Miriam Lúcia Herrera Masotti Dusi

Produção Editorial:
Rosiane Dias Rodrigues

Revisão:
Davi Miranda

Capa:
Thiago Pereira Campos

Projeto Gráfico e Diagramação:
Rones José Silvano de Lima - www.bookebooks.com.br

Foto de Capa:
istockphoto.com / colevineyard

Normalização Técnica:
Biblioteca de Obras Raras e Documentos Patrimoniais do Livro

Esta edição foi impressa pela Lis Gráfica e Editora Ltda, Bonsucesso,SP, com tiragem de 10 mil exemplares, todos em formato fechado de 160x230 mm e com mancha de 120x185 mm. Os papéis utilizados foram o Lux Cream 70 g/m² para o miolo e o Cartão Supremo 300 g/m² para a capa. O texto principal foi composto em fonte Effra Light 11/17,6 e os títulos em Effra Medium 17/17,6. Impresso no Brasil. *Presita en Brazilo.*